AS QUATRO ESTAÇÕES DO CASAMENTO

GARY CHAPMAN

AS QUATRO ESTAÇÕES DO CASAMENTO

Traduzido por VALÉRIA DELGADO

Os textos das referências bíblicas foram extraídos da versão *Almeida Revista e Atualizada*, 2ª ed. (Sociedade Bíblica do Brasil), salvo indicação específica.

Dados Internacionais de Catalogação na Publicação (CIP)
(Câmara Brasileira do Livro, SP, Brasil)

Chapman, Gary D., 1938-

As quatro estações do casamento / Gary D. Chapman; traduzido por Valéria Delgado. — São Paulo: Mundo Cristão, 2006.

Título original: The four seasons of marriage
ISBN 85-7325-430-0
1. Casamento — Aspectos religiosos — Cristianismo I. Título

06-1592 CDD-248.844

Índice para catálogo sistemático:
1. Casais: Amor conjugal: Guias de vida cristã 248.844
2. Marido e mulher: Amor conjugal: Guias de vida cristã 248.844
Categoria: Casamento

Edição revisada segundo o Novo Acordo Ortográfico

Publicado no Brasil com todos os direitos reservados por:
Editora Mundo Cristão
Rua Antônio Carlos Tacconi, 69, São Paulo, SP, Brasil — CEP 04810-020 Telefone: (11) 2127-4147
www.mundocristao.com.br

1ª edição: abril de 2006
32ª reimpressão: 2024

Para minha esposa,

Karolyn,

com quem tenho compartilhado

as quatro estações do casamento

por mais de quatro décadas.

SUMÁRIO

TERCEIRA PARTE

Colocando seu plano em ação

AGRADECIMENTOS

Tenho uma grande dívida para com centenas de casais que participaram da pesquisa anterior à elaboração deste livro. Esses casais não apenas reservaram tempo para responder às perguntas da pesquisa, mas também se dispuseram a ser honestos com relação à qualidade do próprio relacionamento conjugal. A fim de preservar a privacidade desses casais, alterei nomes e lugares. E confesso que não teria sido possível escrever este livro sem a ajuda deles.

O conceito básico das quatro estações do casamento surgiu com meu velho amigo Jim Bell. Obrigado, Jim, pelo que acabou por se transformar em uma grande ideia. Ken Petersen e a equipe profissional da Tyndale House deram grande apoio e foram muito prestativos durante o processo de pesquisa e preparação do livro. Em especial, gostaria de agradecer a Dave Lindstedt, que trabalhou como editor do projeto. As sugestões dele aprimoraram muito o manuscrito.

Agradeço a Tricia Kube, que digitou o manuscrito; a Shannon Warden, que reuniu e analisou as informações da pesquisa que nos chegavam pelo nosso site na internet; a Kay Tatum, cuja habilidade técnica possibilitou que os prazos finais para a publicação fossem cumpridos; e a Karolyn Chapman, que leu o manuscrito com os olhos de uma professora. Sem a ajuda dessas pessoas, eu ainda estaria nos primeiros rabiscos.

Também gostaria de expressar minha gratidão aos muitos casais que aconselhei ao longo dos últimos trinta anos.

Com a permissão deles, algumas de suas histórias aparecem nestas páginas. Minha vida tem sido enriquecida por todos com quem tenho caminhado pelas quatro estações do casamento.

INTRODUÇÃO

Hoje, o olmo alto e imponente do lado de fora de minha janela está coberto de neve. É fim de janeiro e o inverno chegou na Carolina do Norte. As escolas estão fechadas, assim como grande parte do comércio, e as ruas e gramados, envolvidos em um belo cobertor branco. No aconchego de meu escritório, estou sentado próximo à lareira e reflito.

Lembro-me do verão em que nos mudamos para este lugar. Do outro lado do quintal, o olmo travava uma luta de vida e morte com uma videira. A videira de folhas largas estava vencendo, sufocando a vida da pobre árvore. Observando o riacho, vi outras árvores que já haviam sucumbido. Seus galhos secos haviam caído e os troncos, ainda apontados para o céu, estavam cobertos de videiras rasteiras, que simplesmente esperavam o próximo vento forte para derrubá-los.

Embora tivesse chegado tarde demais para salvar aquelas outras árvores, eu estava decidido a socorrer o olmo. Com minhas facas de aço afiadas na mão, ataquei a videira de forma violenta, rodeando a árvore e cortando cada trepadeira à vista. As maiores chegavam a cinco centímetros de diâmetro, enquanto as menores tinham pouco mais de um metro. Por fim, retirei-me da batalha e esperei que a natureza seguisse seu curso. No prazo de uma semana, as folhas da videira murcharam e imaginei que o olmo estivesse respirando mais facilmente.

O verão logo se foi com o outono, e o outono com o inverno. Quando veio a primavera, o olmo lançou suas folhas delgadas, desafiando com alegria as gavinhas acinzentadas que ainda estavam penduradas frouxamente nos galhos. Quando o verão chegou novamente, as videiras secas caíram e o olmo começou uma vida nova.

Desde então, tenho observado as estações virem e irem. Vi o olmo beber das chuvas da primavera, absorver os raios de sol do verão, entregar suas folhas aos ventos do outono e cobrir-se de beleza com a neve branca do inverno.

Hoje, sentado aqui perto da lareira, enquanto contemplo o retrato do inverno do lado de fora de minha janela, também estou refletindo nas estações de minha vida e de minha atividade profissional como conselheiro conjugal. Estou pensando nesses 42 anos em que Karolyn e eu vivemos juntos como marido e mulher, então lembro que nós, da mesma forma, passamos por muitos invernos, primaveras, verões e outonos.

Certa vez, ouvi um palestrante dizer que existem quatro estações no casamento. Conforme ele explicou, começamos como um jovem casal no tempo de primavera da vida, empolgados com o futuro. Em seguida vem o verão, no qual nos envolvemos com nossa profissão e talvez com a educação dos filhos. Depois do verão vem o outono, quando os filhos saem de casa e nós ficamos sozinhos novamente. Depois, nos últimos anos de vida, experimentamos o inverno. Embora haja certa verdade nessa analogia, ela me parece uma descrição um tanto simplista acerca do casamento.

Minha experiência, tanto em meu próprio casamento quanto no aconselhamento de casais em mais de trinta anos, sugere que os casamentos estão constantemente em estado de transição, passando sempre de uma estação para outra — talvez não todos os anos, como ocorre na natureza, mas é certo que essa transição sempre acontecerá. Algumas vezes nós nos vemos no inverno — desanimados, desinteressados e insatisfeitos; outras vezes, expe-rimentamos a estação da primavera com sua sinceridade, esperança e expectativa. Em outras ocasiões ainda, apreciamos o calor do verão — ficamos à vontade, relaxados, desfrutando a vida. E depois vem o outono com sua incerteza, negligência e apreensão. O ciclo se repete muitas vezes ao longo da vida de um casamento, assim como as estações se repetem na natureza.

O objetivo deste livro é descrever essas estações do casamento que se repetem, ajudar você e seu cônjuge a identificar a estação em que se encontra o casamento de ambos e mostrar-lhes como se afastar da insegurança do outono ou da alienação e frieza do inverno, seguindo rumo à esperança da primavera e ao calor e proximidade do verão. As sete estratégias apresentadas na segunda parte deste livro não impedirão seu casamento de passar pelo outono e inverno, contudo, vão apresentar-lhe passos positivos que você poderá dar para aproveitar ao máximo cada estação, preparar-se para a estação seguinte e fazer seu casamento seguir rumo à primavera e verão.

As estações do casamento vêm e vão. Cada uma delas traz em si a possibilidade de termos saúde e felicidade emocional, e cada qual tem os próprios desafios. A chave é desenvolver as habilidades necessárias para melhorar o casamento em todas as quatro estações.

Ao contrário das árvores, que estão à mercê das intempéries e de outros fatores, nós seres humanos temos a capacidade de tomar decisões. Podemos escolher atitudes e ações capazes de melhorar e fortalecer nosso casamento. Podemos lançar sementes de amor e esperança na época da primavera que produzam frutos no verão. E poderemos colher um celeiro de bons sentimentos e comunicação aberta que nos preparará para resistir às mudanças do outono e ao gelo do inverno.

Se este livro chegou a você no fim do inverno em seu casamento, tenha ânimo. Há esperança. Já vi centenas de casais aplicar as estratégias apresentadas aqui e experimentar o "florescer do açafrão" no relacionamento deles. Creio que esses passos práticos funcionarão com você também. Ainda que você esteja lendo este livro sozinho e seu cônjuge não se mostre disposto a compartilhá-lo com você, eu lhe mostrarei como começar sozinho para reconquistar o coração do cônjuge e fazer com que o casamento passe para uma estação mais calorosa.

Se seu casamento está na primavera ou no verão neste momento, é importante não deixar que as videiras ganhem lugar no relacionamento. Mostrarei a você como cortar as gavinhas de atitudes e ações negativas e libertar seu casamento para que ele seja tudo aquilo que Deus pretendeu que fosse.

Se, para você, este livro for útil, espero que o compartilhe com os amigos casados, que igualmente estão passando pelas quatro estações do casamento.

PRIMEIRA PARTE

As quatro estações do casamento

A NATUREZA DO CASAMENTO

No início de minha carreira profissional, eu era um ávido estudante de antropologia. Durante os estudos de graduação e pós-graduação naquela disciplina, examinei etnografias compiladas ao longo dos anos por vários antropólogos. Uma descoberta conclusiva desses estudos dizia que o casamento entre um homem e uma mulher é a estrutura social central em toda sociedade humana, sem exceção. Também é verdade que o casamento monógamo para toda a vida é a norma cultural universal.

É claro que algumas pessoas se desviarão dessa prática, como acontece na poligamia (que ainda é encontrada em algumas culturas sem língua escrita) e na monogamia serial (que se tornou prática comum em algumas culturas ocidentais), mas tais exceções não extinguem da psique humana a norma cultural da monogamia vitalícia. Na verdade, apesar da aceitação generalizada do divórcio nos EUA ao longo dos últimos quarenta anos, uma recente pesquisa com solteiros com idade entre vinte e trinta anos, que nunca se casaram, mostra que 87% faziam planos de se casar uma única vez.[1]

[1]Kim McAlister, The x Generation, revista *HR*, 39, maio de 1994, p. 21.

Muitas dessas pessoas viram os pais se divorciar, e isso não é o que elas querem para si mesmas.

Antes de tudo, a instituição social do casamento é um relacionamento *pactual* em que um homem e uma mulher prometem um ao outro uma parceria vitalícia. Na história bíblica da criação, o desejo expresso por Deus é que os dois se tornem "uma só carne".[2] Na essência do casamento, portanto, está a ideia de *unidade*. É o oposto de *solidão*. Mais uma vez, na narrativa sobre a criação em Gênesis, está bem claro que Deus não pretendeu que homens e mulheres vivessem sós.[3] Algo lá no íntimo do homem clama pela companhia de uma mulher, e a mulher tem o mesmo desejo de ter intimidade com o homem. O casamento tem por objetivo satisfazer essa profunda busca de intimidade. Assim, o casamento não é simplesmente um relacionamento; trata-se de um relacionamento *íntimo* que inclui todos os aspectos da vida: intelectual, emocional, social, espiritual e físico. No relacionamento conjugal, marido e esposa compartilham vida um com o outro do modo mais profundo possível. Eles se veem como uma equipe unida, não como dois indivíduos que, por acaso, estão vivendo em íntima proximidade. Uma vez que o desejo e o impulso por ter intimidade estão na essência do casamento, os indivíduos envolvidos ficam preocupados com o relacionamento quando não se alcança tal intimidade.

O casamento é também um relacionamento *com propósitos*. Toda pesquisa mostra que um casamento íntimo provê, por exemplo, o ambiente mais seguro e mais eficaz para a educação dos filhos. No entanto, a procriação não é o único objetivo do casamento. A cada pessoa também foram concedidas por

[2]Gênesis 2:24.
[3]Gênesis 2:18.

Deus certas possibilidades latentes. A parceria no casamento é um ambiente ideal para estimular e desenvolver esses dons e habilidades. Como observa o autor do antigo livro de Eclesiastes: "melhor é serem dois do que um... porque se caírem, um levanta o companheiro; ai, porém, do que estiver só; pois, caindo, não haverá quem o levante".[4] Todo casal experimenta a verdade deste princípio: melhor é serem dois do que um.

Marido e esposa têm por objetivo se completarem um ao outro. Quando o homem é fraco, sua esposa é forte; quando ela tropeça, é ele que está ao lado dela para levantá-la. A vida é mais fácil quando dois corações e mentes se comprometem a trabalhar em conjunto para enfrentar os desafios do dia.

A natureza essencial do casamento
Comprometido
Unido
Íntimo
Com propósitos
Complementar

Depois de mais de quarenta anos de casamento, olho para trás e percebo que muitas das coisas que realizei nunca teriam acontecido se não houvesse o incentivo e o auxílio de minha esposa. Também me agrada pensar que ela fez mais coisas na vida dela por causa de meu apoio. Isso me traz muita satisfação. Juntos, assumimos o compromisso de buscar e seguir o plano de Deus para nossa vida. Ajudamos um ao outro a descobrir nossos dons singulares e incentivamos um ao outro a usar essas habilidades para servir a Deus e promover o bem no mundo. Quando fazemos isso, nossa vida apresenta Deus aos

[4]Eclesiastes 4:9,10.

outros e cumprimos nosso maior propósito. Nosso relacionamento conjugal melhora a eficácia com que servimos a Deus.

O rei Davi capta esta visão para nós em Salmos 34:3: "Engrandecei o SENHOR comigo, e todos, à uma, lhe exaltemos o nome". Com base em uma perspectiva bíblica, o propósito da vida não é realizar nossos próprios objetivos, mas sim de conhecer Deus e render glória e honra ao seu nome. Para a maioria das pessoas, o casamento aumenta a possibilidade de alcançar esse objetivo.

Adaptando-se às estações em mudança

Os relacionamentos conjugais estão sempre mudando. As atitudes mudam, as emoções oscilam e o modo pelo qual os cônjuges tratam um ao outro varia entre amoroso e não tão amoroso.

Algumas vezes, a mudança foge ao nosso controle. Por exemplo, quando disseram a Nancy, esposa de Ben, que ela estava com câncer, o diagnóstico mudou a estrutura da vida deles e o relacionamento do casal. Eles conseguiram adaptar-se à situação, mas não conseguiram controlá-la. O mesmo aconteceu com Tricia e seu marido, Rob, membro da Guarda Nacional. Quando sua unidade foi acionada, enviaram-no a uma zona de guerra do outro lado do mundo. Rob e Tricia conseguiram se adaptar, mas as circunstâncias fugiram do controle. Quando ficou claro para Jon e Carol que a mãe deles não podia mais morar sozinha, eles tiveram de responder a uma mudança que não podiam controlar. A vida é repleta de mudanças inesperadas. Nossa única escolha como casais tem a ver com a maneira pela qual reagiremos.

Já outras mudanças são as que criamos para nós mesmos, às vezes, porém, com consequências inesperadas. Quando Ken e Melinda mudaram-se para Kansas City depois de morarem perto da família dela, em Chicago, por dez anos, isso gerou inúmeras mudanças que ambos então passaram a enfrentar juntos. As decisões que tomamos com relação à vocação, à criação dos filhos, à educação, ao envolvimento cívico, na igreja, bem como em outras áreas da vida, geram mudanças que afetam nosso relacionamento conjugal. O modo pelo qual os casais processam essas mudanças determinará a qualidade do casamento.

Na natureza, as quatro estações são criadas por certas mudanças inevitáveis que ocorrem durante o movimento da Terra em torno de seu eixo e também ao redor do Sol. Do mesmo modo, as mudanças que encaramos na vida (e a forma pela qual as processamos e reagimos a elas) criam as estações do casamento. O nascimento de um filho, a morte de um ente querido, a doença, os parentes por afinidade, o fato de conseguir um emprego, perder um emprego, as demandas de um trabalho, viagens, férias, o ganho de peso, a perda de peso, altos e baixos na situação financeira, a mudança, a permanência, a depressão, divergências, disposições, adolescentes, o corpo envelhecendo, os pais envelhecendo, atividades de lazer, hábitos, o sexo, a impotência, a infidelidade — todos esses são exemplos de situações e circunstâncias que exercem pressão em um casamento e exigem resposta. Se respondermos bem, em harmonia com nosso cônjuge, poderemos manter o casamento na primavera ou no verão. Se não respondermos bem ou se nossa resposta for de encontro à resposta de nosso cônjuge, poderemos sentir o frio do outono ou ser lançados no gelo do inverno — às vezes, antes de sabermos o que nos atingiu.

Algumas mudanças, como a infidelidade sexual, atacam o coração do casamento. Outras simplesmente constituem parte natural da vida, como a doença, o envelhecimento ou novo emprego. Nossa resposta à mudança consiste em emoções, atitudes e ações. A combinação desses três fatores determinará em que estação nosso casamento se encontra em determinado momento.

A tese deste livro reside na ideia de que as estações naturais — inverno, primavera, verão e outono — oferecem-nos uma analogia apropriada para as mudanças que ocorrem no relacionamento conjugal. Visto que experimentamos a vida por meio dos cinco sentidos, ou seja, audição, visão, olfato, paladar e tato, sentimos emoções, desenvolvemos atitudes e agimos. A combinação de nossas emoções, atitudes e ações cria a qualidade de nosso relacionamento nas várias estações do casamento.

Tornou-se comum na cultura ocidental ao longo dos últimos quarenta anos exaltar as emoções como a luz que guia e determina nossas ações. Depois de mais de trinta anos no aconselhamento de casais, estou convencido de que tal noção está equivocada. Não me entenda mal, pois não estou dizendo que as emoções não tenham importância. As emoções revelam-nos que algo está errado ou certo em um relacionamento, contudo elas devem levar à razão, e a razão deve ser guiada pela verdade se quisermos agir de modo construtivo. Não devemos impedir o processo nem saltar direto das emoções para a ação sem o benefício da razão. Muitos casais que agiram dessa forma se viram no inverno quando poderiam ter acabado na primavera ou no verão.

Emoções moderadas pela razão guiada pela verdade = ***Ação construtiva***

Comecemos nossa jornada pela definição das quatro estações do casamento. Nos quatro capítulos seguintes, observaremos as emoções, atitudes e ações comuns que levam à criação de uma estação específica. Para isso, veremos casais que optaram por dividir comigo as alegrias e tristezas de sua estação conjugal. Nomes e lugares foram alterados, a fim de preservar a privacidade dos casais envolvidos, mas as histórias são verdadeiras e, na maioria, foram contadas com as palavras das pessoas em questão.

Talvez você veja a si mesmo em uma dessas estações do casamento. Do contrário, a seção das estações conjugais, ao fim desta primeira parte, vai ajudá-lo a identificar a estação de seu casamento. Na segunda parte deste livro, apresentarei sete ideias práticas para que você mescle as emoções, atitudes e ações a fim de passar de uma estação para outra.

Na terceira parte, recapitularemos as sete estratégias e responderemos a algumas das perguntas comuns que eu ouço acerca das quatro estações do casamento.

Espero que todos esses recursos ajudem você e seu cônjuge a melhorar as estações de seu casamento.

INVERNO

Por que começar com o inverno? Começo pelo inverno porque, nos EUA, o primeiro mês do ano, janeiro, começa com ele. Embora isso não se aplique a todos os lugares, janeiro e fevereiro na Carolina do Norte são os meses mais frios. É o período em que neva e há tempestades de neve; quando as pessoas usam luvas e sobretudos, e quando elas andam de trenó pelas ruas e vão esquiar no Sugar Mountain.[1] O inverno é o tempo em que as crianças esperam ansiosas, por não terem de ir à escola, para que possam brincar na neve. É o tempo em que somente os amores-perfeitos estão florescendo e os ursos estão em sono profundo. Contudo, para ser honesto, não é por isso que quero começar pelo inverno.

Começo pelo inverno porque a maioria das pessoas que estiveram em meu consultório de aconselhamento nesses últimos trinta anos apareceu quando o casamento delas estava na estação do inverno. Não são muitos que vêm me procurar quando o casamento está em clima de verão. É o frio do

[1]Famosa estação de inverno na Carolina do Norte (EUA), bastante frequentada por turistas e famílias durante as férias e conhecida pela infraestrutura de lazer e enorme área para a prática de esqui. (N. do E.)

inverno que os traz ao meu consultório. No mundo natural, pelo menos na América do Norte, falamos de invernos frios, invernos rigorosos, invernos com muita neve, invernos gélidos e invernos severos. Em síntese, inverno significa dificuldade. A vida é muito mais difícil no inverno do que no verão.

Os casamentos no inverno caracterizam-se pela frieza, dureza e amargura. Os sonhos da primavera são cobertos por camadas de gelo, e a previsão do tempo alerta para chuvas mais frias. Se o marido e a esposa conversam, isso consiste simplesmente em logística: quem fará o que e quando. Se os dois tentam falar sobre o relacionamento conjugal, a conversa normalmente acaba com uma discussão que continua não resolvida. Alguns casais simplesmente vivem em um silêncio frio. Em essência, eles levam vidas independentes, embora vivam na mesma casa. Os cônjuges culpam um ao outro pela frieza do relacionamento.

O que leva um casal à estação de inverno no casamento? Resumindo: a *rigidez* — a má vontade de considerar a perspectiva da outra pessoa e de se esforçar para chegar a um acordo significativo. Todos os casais enfrentam dificuldades, e todos eles têm diferenças. Essas diferenças podem concentrar-se no dinheiro, nos parentes por afinidade, na religião ou em qualquer outra área da vida. Os casais que não conseguem acertar essas diferenças vão se ver no meio do inverno — uma estação do casamento que não foi criada pelas dificuldades da vida, mas pelo modo de o casal responder a essas dificuldades. Quando um ou ambos os cônjuges insistem na conhecida expressão: "É do meu jeito, senão nada feito", eles estão levando o casamento para o inverno.

O inverno na vida conjugal pode durar um mês ou trinta anos. Pode começar três meses depois do casamento ou acontecer na meia-idade. Pode concentrar-se em uma área problemática ou compreender a vida inteira. Como observamos anteriormente, cada estação do casamento vem acompanhada de certas emoções, atitudes e ações. A interação desses três fatores determina se o casal permanecerá em uma estação ou passará de uma estação para outra.

Neste capítulo pretendo descrever as emoções, atitudes e ações que acompanham a estação de inverno do casamento. Então, com que se parece a estação do inverno em um casamento?

As emoções do inverno

A dor, a raiva e a frustração, muitas vezes seguidas pela solidão e por um sentimento de rejeição, são algumas das emoções do inverno. Todas as emoções de um casal que se acha no inverno revelam a frieza, a dureza e a amargura que se agarram ao casamento.

A seguir, vou apresentar-lhe alguns casais que estão passando pela estação do inverno no casamento. Observe como eles descrevem suas emoções.

George tem 44 anos e mora em Jacksonville, na Flórida. Ele está casado há oito anos. "Meu casamento é totalmente desestimulante", ele diz. "Se não fosse cristão, provavelmente eu já teria desistido. Sei que eu deveria amar minha esposa, mas, emocionalmente, estou completamente vazio. É como se minha esposa não me amasse, tampouco gostasse de mim ou me respeitasse. Parece que ela apenas me aguenta — e às vezes *isso* nem parece tão bom assim. Eu me sinto muito mal com relação ao nosso casamento."

A esposa de George, Helen, descreve o casamento deles desta forma:

> Sem graça! Nada parece animá-lo, realmente não tenho a energia emocional para fazer alguma coisa nesse sentido. Meu marido está desempregado há um ano e meio e, ao que parece, está sem rumo. Ficamos nesta mesma situação catorze anos atrás, quando ele se formou na faculdade. Voltar ao ponto de partida é extremamente frustrante e ver que três filhos agora têm de passar por isso só aumenta a ansiedade. Estou muito infeliz com a situação de nosso casamento.

Marilyn tem 45 anos e está no segundo casamento faz cinco anos. Ela comenta: "Eu me sinto frustrada e deprimida. Nós não conversamos — apenas discutimos — e nunca chegamos a alguma conclusão ou acordo sobre como resolver os problemas. Nenhum de nós está feliz. Discordamos nas questões que envolvem dinheiro e criação dos filhos (meus três filhos moram conosco). Ele diz que o divórcio é a única solução. Não tenho certeza disso".

Mark está casado há 23 anos, mas a respeito de seu casamento diz o seguinte: "É muito desestimulante. Discordamos em tudo. Nós dois somos teimosos, e isso tem gerado muitos conflitos emocionais. Há uma frieza em nosso relacionamento". Por sua vez, a esposa dele, Mille, diz: "Mark é muito insensível. Temos muitos anos de ressentimento. Sinto que há mais empenho de minha parte do que da parte dele. Para mim, parece que ele não ouve meus sentimentos nem se preocupa com isso. Ele é *tão* crítico. Neste momento, passamos pouco tempo juntos e quase não fazemos declarações um ao outro nem nos tocamos".

Maria tem 43 anos de idade e há nove está no segundo casamento. Acerca de seu casamento ela diz: "Faz mal em tantos sentidos e afeta todos os aspectos de minha vida. Eu o carrego no íntimo, entregando-o ao Senhor e tentando ser otimista e esperançosa. Nós dois nos queremos muito, mas simplesmente não conseguimos nos relacionar".

Emily está casada faz dois anos e meio, mas expressa a dor emocional do inverno quando afirma: "Estou muito descontente. As coisas realmente ficam ruins algumas vezes. Somente sobrevivo a cada dia. Desisti de ter esperança".

Dor, raiva, frustração, solidão, rejeição e, às vezes, desesperança são algumas emoções que os casais experimentam quando o casamento deles está na estação do inverno.

As atitudes do inverno

As atitudes são a maneira pela qual pensamos no que — ou interpretamos o que — experimentamos na vida. Com frequência, falamos de pessoas que têm uma atitude negativa ou uma atitude positiva. Sobre a atitude, eu me refiro ao modo pelo qual uma pessoa normalmente responde às coisas que acontecem na vida. A estação do inverno no casamento é caracterizada por atitudes negativas.

No inverno temos a tendência de ver o pior. Percebemos os problemas como coisas grandes demais e as situações como coisas bem definidas. Imaginamos que as divergências demoram muito tempo e nunca podem ser resolvidas. Temos a tendência de culpar nosso cônjuge pelo fracasso de nosso relacionamento ("Se ele tivesse...", "Se ela não tivesse..."). Essas atitudes alimentam emoções que vão de um leve desânimo a uma total falta de esperança.

Conheci um homem chamado Frank em Seattle, Washington. Tinha 24 anos e estava casado havia um ano, mas se sentia extremamente confuso com relação ao seu casamento. "Meu casamento me faz sentir que nunca conseguiremos sair dessa. Continua a piorar. Brigamos 24 horas por dia, sete dias por semana, e nos agredimos — e temos um bebê. Não posso continuar assim, não sei mais o que fazer", disse ele. Em sua empresa, Frank era enérgico e sempre estava disposto a enfrentar novos desafios, porém em casa tudo o que ele pensava era claramente negativo.

Após dezenove anos de casamento, uma mulher chamada Martha me disse:

> Acho que realmente tentei salvar nosso casamento nos primeiros anos, mas era como se tudo o que eu sugerisse fosse irritante para ele. Nada parecia funcionar, por isso comecei a me fechar. Temos alguns momentos de crescimento e maior intimidade, mas na maioria das vezes isso se concentra no que *ele* quer e não inclui minhas necessidades ou desejos. Esse padrão persistente tornou-me preocupada em saber quais são as necessidades dele neste momento. Agora estou esperando — quem sabe, injustamente — que ele invista alguma energia em nosso casamento.

Eis o que o marido de Martha, William, contou:

> Há um ano e meio nosso casamento simplesmente deixou de viver os dois melhores anos que já tivemos. Estávamos aplicando princípios bíblicos em nosso casamento, e isso era maravilhoso. Martha se esforçava para valer, e eu diminuí minhas expectativas. Depois, perdi o emprego — e o apoio dela — e desde então o caminho tem sido difícil. As portas não se abrem, e no momento estou fazendo bicos em quatro empregos para sustentar nossa família. Pelo visto, deixei a peteca cair em relação a comunicação, afeição constante e planos para nosso futuro durante os primeiros meses dessa transição. Desde então, Martha tem se fechado e nada que eu faça ajuda a resolver essa situação. Parece haver um ralo aberto em seu tanque de amor, e nada que eu faça é creditado

> em minha conta. Ela diz que não está se prendendo à falta de perdão, mas é isso que parece para mim.

É claro que Martha e William estão incomodados com as atitudes negativas, e nenhum dos dois sente o apoio um do outro.

Às vezes, as atitudes ficam negativas rapidamente. Truett tinha uma proposta de novo emprego em um estado vizinho. Ele e Mary discutiram a questão e concordaram que isso seria uma grande mudança para eles naquele estágio da vida. Assim, eles se mudaram. No entanto, logo depois de desfazer as malas, Mary se viu sem suas amigas e irritada com todas as mudanças que lhe foram impostas pela decisão de mudar. Ela se queixou dessas coisas com Truett e lhe disse como ela estava infeliz. Truett sentiu-se traído. Para ele, ambos haviam concordado com a mudança, portanto ele achou que Mary o estava colocando em uma situação injusta. Ele não podia pedir demissão logo depois de ter aceitado o novo emprego, contudo queria ver sua esposa feliz.

A atitude negativa de Mary tornou-se uma barreira no casamento e, em questão de um ano, ambos se viram à beira do divórcio. Como as coisas poderiam ter sido diferentes, se Mary tivesse assumido uma atitude positiva e tivesse procurado fazer novas amizades e ver as coisas boas naquela nova situação. As atitudes negativas são como um vento implacável que contribui para a estação de inverno no casamento.

As ações do inverno

Nossa tendência natural no meio do inverno é evitar as intempéries o máximo possível. Quando o tempo esfria, ficamos dentro de casa para nossa própria sobrevivência e esperamos a temperatura aumentar ou a mudança de estação. No inverno de um casamento, é possível que haja a tendência semelhante de "evitar as intempéries". Os cônjuges podem recolher-se dentro de si mesmos, encolhendo-se e tentando sobreviver à fria estação, esperando a primavera, mas sem tomar certos passos positivos para levar seu casamento à primavera. No entanto, ao contrário das estações do ano, as estações de um casamento normalmente não mudam sem alguma ação positiva — a menos que seja uma mudança de mal a pior.

Se você estiver passando pelo inverno no casamento, suas ações terão a tendência de provocar divisão e destruição. Consciente ou inconscientemente, o objetivo delas é magoar seu cônjuge. Palavras ásperas, atos violentos ou afastamento e silêncio são algumas ações do inverno. Lembro-me de uma mulher que me disse: "Fiquei tão nervosa com a infidelidade de Kurt, que fui ao apartamento da garota que, eu sabia, ele estava saindo, vi o carro dele e furei todos os pneus com uma faca. Sei que eu poderia ter sido presa por causa disso, mas naquele momento eu estava tão irritada que só queria que ele soubesse quão profundamente ele estava me magoando".

Também me lembro das palavras de certo marido no consultório de aconselhamento: "Fui ao apartamento onde eu sabia que ela estava vivendo com outro homem, arranquei a bateria do carro dela e a joguei no esgoto. Eu estava muito nervoso e magoado".

Conheci Melody em Racine, Wisconsin, em um de meus seminários sobre o tema do casamento. Na época, ela estava no segundo casamento; o primeiro havia sido, nas palavras dela, "física e emocionalmente abusivo". Já no segundo casamento, que já durava cinco anos, ela tivera certeza de que ele poderia ser enquadrado no inverno. "Odeio meu casamento. Estou distante e não sei se meu marido vai reagir de modo positivo a qualquer iniciativa minha. Estou cansada. Na verdade, já pensei em dizer a ele que precisamos nos separar porque tenho certeza de que ele nunca mais conversará civilizadamente comigo. Não estou contente com meu casamento neste momento."

Quando pedi a Melody que compartilhasse um exemplo do que estava acontecendo no casamento, ela respondeu:

> Há duas semanas pedi a ele que parasse de provocar nosso filho, chamando-o de "filhinho da mamãe". Ele disse que aquele filho era meu queridinho. A princípio, saí da sala, mas naquele dia, mais tarde, ele disse que eu estava maltratando um de meus outros filhos. Tudo foi por água abaixo depois disso, e agora mal estamos nos falando. E ele me evita. Quase nunca ficamos no mesmo lugar, a não ser para dormir. Quando ele *está* por perto, sinto que ele fica verbalmente abusivo. Às vezes, eu me lembro de meu primeiro casamento e me pergunto se a mesma coisa está acontecendo novamente.

Chris e Amanda participaram de meu seminário em West Palm Beach, na Flórida. Ambos estavam casados havia cinco anos, e era o primeiro casamento deles. Ela somava 25 anos e ele, 29. Os comentários de Amanda sobre o casamento mostraram que, para ela, era inverno. "Eu me sinto triste e magoada, mesmo que em outros momentos seja como se realmente amássemos um ao outro. Não estou feliz. Quero sentir o amor que sentíamos. Passamos pelo nascimento de um filho, meu marido sofreu um acidente grave e há três anos está sem trabalhar; além disso, nossa casa foi destruída em um incêndio. Com o decorrer do tempo, nós nos afastamos. Ficamos muito negativos e continuamos a humilhar um ao outro."

Os comentários de Chris foram breves: "Sei que minha esposa cresceu em uma família que vivia em guerra e por isso não conhece outra maneira de viver. Ela também é muito exigente". Para Chris e Amanda, as críticas, exigências e humilhações mostravam a frieza do relacionamento entre os dois.

Joshua tinha 22 anos e estava casado havia apenas três anos quando me disse isto: "Minha esposa me traiu várias vezes com um de meus amigos nos primeiros seis meses de casamento. Minha reação foi traí-la. Isso gerou uma falta de confiança, entre outras coisas, que nos levou à estação de inverno. Definitivamente, não estou contente com nosso casamento. Tomei muitas decisões péssimas antes e me preocupo com o risco de piorar as coisas".

Bernice tem 78 anos e está casada há 54 com o mesmo marido, porém admite que seu casamento é muito difícil. "Eu me sinto rejeitada e desanimada", disse ela. "Meu marido é um alcoólatra em recuperação e, muitas vezes, fica deprimido. Ele mente para mim ou não conversa comigo e, recentemente, se meteu com pornografia. Meu coração está partido, mas tudo o que sei fazer é orar. Se tento conversar, ele faz críticas e me culpa por todos os nossos problemas. Sim, nosso casamento definitivamente está na estação do inverno. É muito triste depois de todos esses anos juntos."

Na estação de inverno no casamento, a comunicação oscila entre o silêncio e as discussões. Fazem-se críticas que ferem ainda mais o relacionamento. O abuso verbal, às vezes, leva ao abuso físico. A parte sexual do casamento torna-se um campo de batalha, e a infidelidade sexual pode desferir o golpe final no relacionamento conjugal.

O casamento no inverno é, na verdade, frio, áspero e amargo. Por fim, os casais podem se distanciar emocional e, às vezes, fisicamente. É possível que durmam em quartos separados porque não querem estar próximos um do outro. Emocional e sexualmente, eles já estão divorciados. Se os ventos cálidos da primavera não vierem logo, o casal poderá tomar medidas para se divorciar legalmente também.

O inverno vem muitas vezes acompanhado por sentimentos de desespero. Bryan, com pouco mais de vinte anos e casado havia quatro anos, disse o seguinte acerca de seu casamento: "Éramos loucos um pelo outro no começo. Agora estamos confusos. Estou tentando aceitá-la, mas hoje de manhã ela disse que o Diabo ganhara lugar na vida dela. Quero ajudá-la, mas não sei o que fazer. Não estou contente com nosso relacionamento. A comunicação é unilateral: a conversa parte dela somente. Quando falo alguma coisa, ela termina minhas frases, por isso fico quieto na maioria das vezes. Tenho medo de até onde isso pode chegar. Não forço minhas opiniões. Eu a deixo dominar e não entendo por quê".

Christy, esposa de Bryan, disse: "Demos lugar a Satanás em nossa vida porque tivemos relações sexuais antes do casamento. Agora estamos casados, mas me sinto mal com o toque dele. Percebo certa amargura e raiva que somente Deus pode curar. Espero que isso aconteça logo".

Marge tem 45 anos e há oito anos está casada com seu segundo marido. "Não entendo por que ou como as coisas chegaram a este ponto, mas nosso casamento é só de fachada. Deixamos os filhos — dois dele e dois meus — despedaçar-nos em nossos primeiros anos. Os filhos cresceram e saíram de casa agora (menos um), mas estamos nos esforçando para voltar a viver juntos. Não sei o que fazer para consertar nosso casamento."

Normalmente, os casamentos não começam na estação de inverno. E, ao contrário das estações do ano, o outono nem sempre precede o inverno em um casamento. A vida conjugal pode passar diretamente da primavera para o inverno. Para

Joanie, era como se seu casamento tivesse passado direto da lua de mel para o inverno. Era o segundo casamento, e do primeiro casamento ela trazia uma filha com problemas mentais. Ela conta:

> Enquanto namorávamos, Jon parecia gostar de Mandy. Ele sempre era bom para ela. Mas depois da lua de mel, de repente, foi como se Mandy tivesse se tornado para ele um estorvo. Ele queria que fôssemos somente nós dois. Bem, isso é impossível. Ele está vivendo em um mundo de fantasia. Ele até me perguntou se poderíamos encontrar alguém para adotar Mandy. Por que eu iria querer fazer isso? Ela é minha filha. Acho que cometi um grande erro ao me casar com Jon. Não sei se conseguiremos viver juntos. Ele perde a calma, e suas palavras acabam comigo. É ele quem tem de tomar as decisões em nossa vida. É como se minhas opiniões não contassem para ele.

O inverno pode vir logo no início do casamento ou depois de cinquenta anos. Nesse meio-tempo, ele pode aparecer muitas vezes. Os casais podem reconhecê-lo por meio de suas emoções, suas atitudes e suas ações. A tabela da página dezenove resume os sinais básicos de um casamento no inverno.

O lado positivo do inverno

Se estiver no inverno, seu casamento pode parecer um caso perdido. Contudo, não desista. Assim como a maioria das pessoas não se deitaria na neve para esperar a morte, não há razão para aceitar passivamente a frieza de um casamento invernoso. Existe uma saída, e ela começa com a esperança. O frio do inverno, muitas vezes, estimula um desejo de cura e saúde. É o doente que procura um médico e encontra a cura. Com frequência, o casamento no inverno leva os casais a se desesperar a ponto de saírem de seu silencioso sofrimento e procurarem a ajuda de um conselheiro, pastor ou amigo de confiança. Aqueles que procurarem ajuda vão encontrá-la.

Durante o processo de cura, os casais chegam a experimentar o lado positivo do inverno. Como disse um marido: "Percebemos que, pela dor, redescobrimos nossas raízes, afirmamos nossa fé e crescemos em caráter". Muitas vezes são as provações da vida que produzem paciência e perseverança.[2] Deus pode usar os invernos conjugais para o bem.[3] Passar pela estação do inverno talvez nunca seja "legal" ou "emocionante", como descer de trenó uma montanha íngreme ou esquiar em uma estação de inverno, no entanto, quando os casais perseveram e começam a tomar medidas positivas para melhorar o casamento, eles saem mais fortes, mais comprometidos e mais aptos a superar as diferenças.

Inverno	
Emoções:	Dor, raiva, frustração, solidão, sentimento de rejeição
Atitudes:	Negatividade, desânimo, frustração, desesperança
Ações	Destrutivas, palavras ásperas, silêncio, violência
Clima do relacionamento:	Distante, frio, áspero, amargo. Na estação de inverno do casamento, os casais não se dispõem a discutir diferenças. As conversas transformam-se em discussões, ou os cônjuges se afastam em silêncio. Não há o sentimento de cumplicidade. O casamento é como duas pessoas vivendo em iglus separados.

Com o passar dos anos, vi muitos casais passar do inverno para a primavera. Quando os fracassos do inverno são

[2]Tiago 1:2-4
[3]Romanos 8:28,29.

confessados e perdoados, o perdão dá espaço para o amor, e "o amor cobre multidão de pecados".[4] Ao estenderem o gesto da paz, mesmo em meio à dor e à alienação, inumeráveis casais descobriram que a cura profunda e uma intimidade até mais profunda são possíveis. As cicatrizes do fracasso servem para lembrar o pecado, uma necessidade desesperada de perdão e o poder de salvação de Deus. A boa notícia é que o perdão e o poder de Deus estão sempre à disposição daqueles que os buscam. Quando duas pessoas optarem por amar-se novamente, o gelo do inverno que começa a derreter regará as sementes da primavera, e o inverno terá cumprido seu maior objetivo.

Na segunda parte, observaremos as ferramentas necessárias para passarmos do inverno para a primavera. Antes disso, porém, identifiquemos as características das outras três estações do casamento.

[4] 1Pedro 4:8.

PRIMAVERA

No mundo da natureza, a primavera é o tempo de recomeços. Em meu cantinho, sei que é primavera quando os açafrões se erguem sobre a terra e sorriem. Eles logo são seguidos pelos narcisos e pelo verdejar da grama. Nas ocasiões em que os açafrões comemoram muito cedo, eu os vejo cobertos de neve, porém isso nunca parece incomodá-los. É como se soubessem que a última investida do inverno logo cederá ao reino da primavera. Inspirada pela coragem dos açafrões, toda a natureza começa a brotar e logo desabrocha em sua total beleza. Por coincidência, a chegada da primavera nos EUA muitas vezes coincide com a Páscoa, que celebra o maior triunfo da vida sobre a morte.

É na primavera que começa a maioria dos casamentos, o entusiasmo de criar uma nova vida juntos que dá aos homens e mulheres a coragem para fazer uma aliança em um compromisso conjugal. "Para amar e cuidar, na doença e na saúde, na pobreza e na riqueza, até que a morte nos separe." Essas palavras soam a primavera. O que poderia ser mais emocionante do que a união de duas vidas para se ajudarem mutuamente a fim de cumprir os propósitos para os quais foram criadas? Sim, os casamentos começam na estação da primavera.

Janet, uma mulher de 33 anos, recém-casada, que conheci em um seminário sobre casamento no Alabama, captou a emoção da primavera ao descrever seus seis meses de casamento:

> É pura alegria! É emocionante ver nosso relacionamento crescer e se desenvolver. Aquele êxtase "de amor" aumenta e fica mais rico a cada dia. Todo dia é uma oportunidade de encontrar uma forma de viver meu amor por meu marido. Em alguns sentidos é assustador, pois existe aquele medo de não estar à altura. E ouvir alguns casais mais velhos expressar suas ideias do tipo "espere alguns anos para você ver que não será tão maravilhoso" faz-me pensar: *Por que não? Não podemos fazer a escolha diária de manter esta alegria viva e em processo de amadurecimento?*

Janet estava entusiasmada e feliz com o casamento, e sua intenção era mantê-lo dessa forma. Embora ficasse um pouco irritada com as pessoas que queriam fazer a neve cair sobre seus açafrões, ela estava certa de que as terríveis predições dessas pessoas não precisavam vir a se cumprir.

O casamento não é uma primavera vitalícia, mas podemos voltar ao otimismo, entusiasmo e alegria da primavera muitas vezes durante a vida. Inevitavelmente, também teremos nossas estações do verão, do outono e do inverno, embora não necessariamente nessa ordem previsível. Como mencionamos anteriormente, as estações do casamento não são cronológicas, portanto a estação da primavera não é exclusivamente para os recém-casados. As estações repetem-se numerosas vezes ao longo de um casamento e, já que somos criaturas que têm o poder de escolha, podemos criar novos começos sempre que desejarmos. Adiante saberemos mais sobre o processo, mas antes observaremos alguns casais que estão na estação da primavera no casamento.

Como vimos, as estações de um casamento são criadas pelas mudanças com as quais deparamos e, mais importante, pelas emoções, atitudes e ações. As emoções normalmente influenciam nossas atitudes e ações. Por exemplo, se estou sentindo raiva, essa raiva pode transformar-se em uma atitude e, com isso, ajo de acordo com tal sentimento. Em contrapartida, a emoção da alegria pode levar a uma atitude de otimismo que, por sua vez, resulta na ação de encorajar os outros. Ao descreverem suas emoções, atitudes e ações, os casais estão descrevendo a qualidade do relacionamento conjugal, ou a estação de seu casamento. Assim, com que se parece a estação da primavera no casamento?

As emoções da primavera

A primavera é caracterizada por sentimentos vivos e intensos, representados pelo entusiasmo, pela alegria, pela esperança e pela felicidade, por exemplo.

Amanda, de Little Rock, Arkansas, tem 33 anos e está casada há um ano. "É emocionante", ela diz. "Estivemos juntos por dez anos como namorados, mas o casamento traz um aspecto completamente novo ao nosso relacionamento. Agora tenho um marido a quem amo, e sei que ele me ama. É algo novo; eu o vejo por um novo prisma. Fico entusiasmada quando penso no que o futuro nos reserva."

Brandon casou-se pela primeira vez aos 45 anos. Há dois anos casado, ele afirma: "Estou entusiasmado com nosso casamento, já que continuamos nossa jornada juntos. É um pouco assustador quando tentamos levar nossas emoções a um nível mais profundo ao aprendermos a linguagem do amor um do outro. Realmente estou feliz por estar casado com uma mulher que deseja continuar a crescer e não deixar que nosso relacionamento caia na rotina. Quero continuar a aprender a ser um marido melhor".

Em Tampa, na Flórida, conheci Joyce e Rob durante um de meus seminários sobre casamento. Em um intervalo, depois de termos conversado um pouco, pedi a Joyce que descrevesse seu casamento usando uma das quatro estações. Ela disse:

— Depois de ouvir a primeira metade de seu seminário, sinto-me muito abençoada por estar na estação da primavera em meu casamento. O entusiasmo por estarmos casados esmoreceu um pouco, mas ainda sinto aquela emoção quando olho para meu marido. Sim, estou mais feliz agora do que já estive em minha vida! Amo meu marido e adoro estar casada.

— Há quanto tempo vocês estão casados? — perguntei.

— Sete anos.

Rex e Bonnie estão casados há 26 anos e residem em Richmond, na Virgínia. Rex conta: "Nosso primeiro filho nasceu um dia depois de nosso primeiro aniversário de casamento, por isso parece que sempre tivemos crianças em casa. Agora estamos com o ninho vazio e só temos um ao outro. Descobrimos que estamos desfrutando nossos momentos juntos — nossas conversas e os momentos em que compartilhamos pensamentos, preocupações e interesses. Gostamos de fazer as coisas juntos. Nossos filhos adultos dizem que querem encontrar relacionamentos conjugais como os que seus pais desfrutam. Isto é muito gratificante para nós dois". Depois de 26 anos, Rex e Bonnie estão redescobrindo a estação da primavera no casamento.

Conheci Ryan e Michelle em Phoenix, no Arizona. "Estamos entrando em nova fase de nosso casamento", disse ele. "É como se começássemos tudo novamente. Mudamo-nos para cá há três anos e isso tem sido uma segunda lua de mel para nós. Antes de mudarmos, começávamos a cair na rotina e, francamente, não estávamos dando muita atenção um ao outro. Desde que mudamos, temos passado muito mais tempo conversando um com o outro e fazendo coisas juntos. Nós dois encontramos um novo entusiasmo com relação à vida e ao nosso casamento. Estamos na fase mais feliz que já tivemos."

Em outra ocasião, depois de ter concluído uma palestra cujo tema era "Fazendo do sexo uma escolha mútua", uma mulher chamada Leslie me disse o seguinte: "É verdade. Adoro estar casada com Sean... e, além de tudo isso, nossa vida sexual é maravilhosa! É como se eu tivesse redescoberto minha feminilidade, e me sinto tão amada por meu marido. É uma estação completamente nova em nosso casamento". Sean e Leslie estavam experimentando as emoções da primavera.

As atitudes da primavera

Na estação da primavera no casamento, os cônjuges têm atitudes positivas com relação um ao outro e com relação à vida em geral. As atitudes comuns da primavera são de gratidão e de expectativa quanto ao futuro. Percebe-se a mudança como oportunidade para novos começos, e os casais na estação da primavera esperam plenamente aproveitar ao máximo essas oportunidades. Às vezes falamos do pessimista como uma pessoa que vê um copo meio vazio, enquanto o otimista o percebe meio cheio. O pessimista diz: "Parece que vai chover". O otimista afirma: "Pode chuviscar, mas acho que vai ser um belo dia". Na estação da primavera, os casais têm uma atitude otimista sobre o casamento.

No mundo da natureza, a primavera tem seu pólen. Se as pessoas amaldiçoam o pólen, sabe-se que a primavera não é sua estação favorita do ano. Mas, se falarem com otimismo sobre as flores e as borboletas (ainda que espirrando por causa do pólen), sabe-se que elas amam a primavera. O mesmo acontece em um casamento. Mesmo na estação da primavera, pode haver dificuldades, mas a atitude predominante é a de um crescimento esperado, e não de desespero. Jill, do norte de Nova York, descreveu bem a atitude da primavera quando disse: "Sinto que nosso casamento está crescendo. Sem dúvida, temos altos e baixos como qualquer casal. Mas estamos tentando edificar nossa vida em torno dos ensinamentos de Cristo. Estamos aprendendo a nos comunicar, aprendendo a cultivar nosso amor e aprendendo a estar abertos às ideias e aos sentimentos um do outro. Estamos entusiasmados por estarmos juntos e explorarmos o futuro com Deus".

A estação da primavera é caracterizada por uma atitude de otimismo, mas ela é também acompanhada por uma atitude de gratidão. Joanie estava casada com Alex havia 22 anos quando me disse isto: "As coisas não estão onde eu gostaria que estivessem, mas tenho esperança no futuro. Sou grata pelo que tenho e quero que continuemos a crescer. Quando vejo outros casamentos se desfazer, fico feliz por ver que Alex e eu ainda nos amamos e continuamos a aperfeiçoar nosso relacionamento".

Por sua vez, Alex expressou uma atitude semelhante à da esposa: "Aprendemos a nos comunicar muito bem. Aprendemos que não temos de concordar em tudo. Às vezes concordamos em discordar e procuramos entender o ponto de vista um do outro. Mas nós nos amamos e este é o foco central, juntamente com nosso amor a Deus. Isso nos ajuda a superar qualquer diferença que tenhamos, pois concordamos mais do que discordamos. Sou muito grato pelo casamento que Deus nos deu".

A atitude de amor floresce lindamente na primavera. Como disse Janet, do Alabama, depois de seis meses de casamento: "Todo dia é uma oportunidade de encontrar uma forma de viver meu amor pelo meu marido". Ela está expressando assim uma atitude de amor.

Amy, uma mulher que conheci em Indianápolis, disse o seguinte: "Meu marido é muito atencioso, e essa característica dele tem chegado até mim. Nós dois estamos muito cientes dos sentimentos um do outro e buscamos nos esforçar para cultivar nosso relacionamento. Nós nos amamos e queremos que isso continue vivo para sempre".

Se for época de primavera em seu casamento, você estará conscientemente pensando em coisas que poderia fazer ou dizer para expressar o amor que sente por seu cônjuge. No último domingo, depois do culto de adoração da manhã em nossa igreja, recebi os cumprimentos de um casal que está unido há 35 anos. O marido me disse: "Na semana passada, saímos de férias e levamos conosco seu livro *The five love languagens: men's edition.*[1] Li seu livro original há vários anos e pensei que havia entendido a linguagem de amor de minha esposa. Mas, nesta semana, nós dois aprendemos muito sobre um e o outro. Foi uma das melhores semanas que tivemos em anos. Era como se começássemos uma segunda lua de mel, só que desta vez nosso amor é um tanto mais profundo do que era nos primeiros anos de nosso casamento". Para mim, era óbvio que a primavera havia voltado depois de 35 anos de casamento.

A estação da primavera também está alicerçada em uma atitude de confiança. Confiança é acreditar que o cônjuge é uma pessoa íntegra — que ele ou ela lhe diz a verdade. Se

[1]Sem tradução para o português.

seu casamento estiver edificado em um sólido fundamento de confiança, você terá certeza da fidelidade de seu cônjuge ao compromisso conjugal, escolhendo acreditar no que há de melhor em seu cônjuge, mesmo em circunstâncias incertas. A atitude de confiança traz um senso de segurança. Jamais me esqueci do que um jovem me contou alguns anos atrás:

> Somos casados há dez anos, e uma das maiores coisas para mim é a confiança que tenho em Misty. Meu pai não conseguia confiar em minha mãe; ela teve envolvimento com muitos outros homens ao longo dos anos. Isso foi uma grande fonte de dor para meu pai, embora eu sempre tenha admirado o fato de ele lhe ter perdoado e procurado se restabelecer. Mamãe morreu há seis anos, e papai hoje está casado com uma maravilhosa mulher cristã. Estou realmente feliz por ele. Acho que é por causa de tudo isso que sou tão grato por Misty, seu amor e compromisso comigo. Saber que posso confiar nela é algo que me dá grande alegria.

Esse jovem estava expressando uma das atitudes características da primavera.

Quando cultivarmos as atitudes de otimismo, gratidão, amor e confiança da estação da primavera, desfrutaremos do perfumado florescer da primavera em nosso casamento. Tais atitudes levam a ações positivas.

As ações da primavera

Para a maioria de nós, a primavera tem o poder de tirar-nos de casa e nos levar para um mundo completamente novo de atividade. Quem não gosta de um piquenique na primavera, com formigas e tudo mais? Em muitas partes dos Estados Unidos, a primavera é o mesmo que cortar a grama e plantar o jardim. Acima disso está todo o mundo de esportes praticados na primavera que oferece diversão para as crianças e transforma nossa mãe em uma verdadeira taxista. A primavera é um tempo de atividades aceleradas, e a maioria de nós fica feliz em sair de nossa toca no inverno para participar da euforia.

Do mesmo modo, quando chegar a um relacionamento conjugal, a primavera será caracterizada por novas atitudes e novas atividades. Procuramos formas de expressar nosso amor e estimular o entusiasmo em nosso relacionamento. Essas ações não são aleatórias — a atividade pela atividade — nem se concentram em si mesmas. O ponto principal está em trazer uma nova vida ao casamento e desenvolver o bem que já existe ali. Nessa estação do casamento, o princípio guia é *nutrir*, que significa "alimentar". O objetivo das ações da estação da primavera é alimentar e nutrir o relacionamento conjugal. Ambos os cônjuges procuram fazer coisas que melhorarão a vida um do outro. Eles se perguntam: "Como isso afetará nosso relacionamento?". Se o casamento estiver na estação da primavera, ambos os cônjuges farão coisas para aprofundar o relacionamento e beneficiar um ao outro.

Ashley, casada há sete anos, falou com entusiasmo quando me disse o seguinte: "Finalmente estabelecemos noites para namorar, para conversar ou fazer o que bem quisermos. Para mim, agora, não há problema algum em deixar nossos filhos com os avós". Essa ação que promove um "novo começo" — estabelecer um novo hábito de namorar em certas noites — mostra que Ashley e seu marido, Grey, estão em direção à primavera.

Heidi e Jeremy estão casados faz um ano. "Somos recém-casados!", disse Heidi. "Estamos lendo livros sobre comunicação e casamento. Estamos participando de reuniões sobre como manter a saúde do casamento, e estamos pedindo a

Deus que nos conduza em nossa vida e faça parte de nosso casamento. Nós dois temos muita sorte de termos vindo de famílias cristãs, e ambos crescemos com maravilhosos modelos. Estamos entusiasmados com o futuro." Heidi e Jeremy não estão criando fama em cima da experiência de seus pais, mas agindo de forma positiva para ver seu casamento continuar "na linha".

Nos primeiros dois anos e meio de casamento, Jake e Kendra já experimentaram uma estação de inverno. No entanto, quando os conheci, eles definitivamente estavam experimentando a primavera.

— Como vocês conseguiram superar a transição? — perguntei.

— Abri mão de meu trabalho de meio expediente — respondeu Jake. — Percebemos que simplesmente não tínhamos tempo para nos dedicar ao nosso casamento. O dinheiro era razoável, mas não compensava. Mudamo-nos para outra cidade a apenas cinquenta quilômetros de distância, e isso nos proporcionou um novo começo. Reacendemos nosso relacionamento individual com Deus. Isso fez grande diferença.

Kendra acrescentou:

— Quando trouxemos Deus de volta para nossa vida, começamos a ver as coisas positivas sobre um e o outro e nos concentramos nelas. Começamos a orar e a nos divertir juntos. Isso fez uma enorme diferença para nós. Na verdade, estamos desfrutando novamente do prazer de estarmos casados. Sabemos que Deus tem coisas boas para nós no futuro.

Conheci Julian e Dorothy em Richmond, na Virgínia. Julian começou a conversa, dizendo: "Queremos lhe dizer quanto apreciamos seus livros. Eles nos abriram um mundo completamente novo de mútua compreensão"!

"Por 25 anos eu me perguntei o que movia o comportamento dele — disse Dorothy." Então descobri que suas linguagens de amor se concentram em tempo de qualidade e toque físico. Minhas linguagens de amor são palavras de afirmação e atos prestativos. Quando parei de limpar a casa, de cozinhar e de pintar, quando reservei um tempo para me sentar e conversar com ele frente a frente e quando comecei a tocar-lhe com amor, ele começou a agir com presteza e a dizer palavras de afirmação para mim. Entramos em uma fase completamente nova no casamento.

Isso se chama estação da primavera, — eu disse. — E espero que vocês continuem nela por um bom tempo.

É claro que, para alcançar mudanças positivas, é preciso disposição para mudar. Madelyn tinha 21 anos e estava casada havia apenas dez meses quando eu a conheci com o marido, Jackson, em Sumter, na Carolina do Sul. Ela disse: "Nosso casamento foi muito difícil no começo, mas Deus trabalhou de forma positiva em nossa vida para que superássemos as dificuldades. Ele nos revelou nosso próprio egoísmo. Ainda temos divergências de vez em quando, mas sou sempre sujeitada e desarmada pela disposição de meu marido de modo que eu observe o que ele está fazendo e esteja aberta para mudanças. Isso me faz amá-lo cada vez mais".

Jackson acrescentou: "Só começamos esta estação com a ajuda e compreensão de Deus. Fizemos um curso para casais em nossa igreja e percebemos que ambos somos pessoas incompletas, que Deus tem o desejo de ver-nos transformados. Ele está usando nosso casamento para ajudar a nós dois a crescer". Penso que, se Madelyn e Jackson continuarem com disposição para mudar, eles viverão na estação da primavera ou do verão na maior parte da vida. As ações de amor, que começam com uma disposição para mudar, criam um clima emocional positivo entre marido e esposa que torna a vida emocionante.

Ações positivas requerem tempo. Notamos isso no que diz Dave, de Atlanta, casado há 21 anos e pai de três filhos: "Uma das coisas que mantêm nosso casamento vivo e em crescimento é que esculpimos um tempo em nossa agenda para ficarmos juntos, fazendo coisas de que nós dois gostamos. Passamos por tragédias em nossa família, e isso nos forçou a perceber a importância de cultivar nosso casamento". Gosto da descrição usada por Dave: "esculpimos um tempo em nossa agenda". Se não criarmos um tempo um para o outro, ninguém mais vai fazê-lo por nós.

Aprender a agir de forma positiva requer, às vezes, a ajuda de terceiros. Para Jerry e Jan, os primeiros oito anos de casamento foram, em resumo, *terríveis.* "Não concordávamos em nada", disse Jan. "Passávamos a maior parte de nosso tempo discutindo, e ambos chegamos a nos arrepender de termos nos casado. No entanto, tudo isso mudou há um ano. Tomamos medidas, juntos e individualmente, por meio de um aconselhamento cristão. Aprendemos a aceitar a responsabilidade que tínhamos por nós mesmos e a apreciar a singularidade um do outro sem controlar o outro. O elemento fundamental para nós é ter Cristo em nossa vida e aprender a sermos mais parecidos com ele".

O caso de Jerry e Jan demonstra a realidade de que alguns casais precisarão de ajuda profissional. Estar disposto a procurar um aconselhamento é uma ação positiva que muitas vezes resulta na volta da primavera.

Andrew e Tricia tiveram um começo muito mais saudável. Quando eu os conheci, dois anos depois do casamento, ele disse:

Antes de nos casarmos, procuramos mentores e conselheiros sábios e de confiança que ajudassem a nos preparar para nossa vida juntos. A comunicação teve um papel importante em nosso relacionamento. Antes do casamento, conversávamos sobre as expectativas e o papel que as famílias teriam em nossa vida e casamento. Uma das coisas que aprendemos foi rir juntos todos os dias. Há alguma coisa no riso que torna a vida mais fácil. Procuramos, pelo menos, uma maneira a cada dia de expressar nosso amor um para o outro: bilhetes, ações ou palavras. Tivemos dois anos maravilhosos e esperamos um grande futuro.

Primavera	
Emoções:	Entusiasmo, alegria, esperança
Atitudes:	Expectativa, otimismo, gratidão, amor, confiança
Ações	Cultivar, planejar, comunicar-se, procurar ajuda quando necessário
Clima do relacionamento:	Vital, afetuoso, aberto, atencioso. A primavera é um tempo de novos começos. As flores estão desabrochando. Os canais de comunicação estão fluindo. Há um sentimento de entusiasmo com a vida a dois. Os casais estão fazendo planos. Eles têm grandes esperanças para o futuro. Estão plantando sementes das quais esperam ter uma colheita de felicidade.

Atitudes positivas produzem ações positivas. E ações de amor resultam em emoções positivas. Junte essas três coisas e você terá a estação da primavera no casamento. Em síntese, o casamento na primavera é algo assim:

O lado negativo da primavera

Para que você não pense que a primavera não tem problemas, devo alertá-lo sobre a hera venenosa. Há alguns anos, quando estava me preparando para fazer meu jardim de primavera, aprendi uma importante lição sobre identificar plantas. Na estação anterior, eu havia levantado uma cerca de arame para proteger meu jardim dos coelhos. Enquanto remexia a terra, preparando-a para o plantio, notei heras crescendo em minha cerca. *De onde veio isso?*, pensei. *Não plantei hera alguma.* Com alguns rápidos puxões com a mão, arranquei a hera da cerca. No dia seguinte, quando acordei com coceira na mão e no pulso, percebi que havia mexido com hera *venenosa*. Nos dias seguintes, fiquei muito irritado com a terrível coceira.

Em casamento na estação da primavera, é possível depararmos com a hera venenosa — irritações que aparecem de súbito e inesperadamente. Essas irritações podem causar a coceira conjugal, mesmo em meio à estação da primavera. Elas podem acabar com as férias perfeitas ou transformar um belo jantar em um fiasco emocional. Tais irritações não alteram a estação, mas podem tornar a primavera menos agradável. Como parte da Estratégia nº 6, discutiremos como transformar essas irritações em recursos à medida que "maximizamos" nossas diferenças. Por ora, permita que eu o incentive a compartilhar suas irritações com seu cônjuge e estar aberto a mudanças.

A primavera comumente leva um casal a fazer mudanças positivas. É um tempo de novos começos, novos padrões de vida, novas formas de ouvir e expressar interesse, além de novas formas de amar. Se conseguirmos implementar com sucesso e cultivar essas mudanças positivas, a estação da primavera dará lugar à alegria e ao calor do verão. Todavia, se não conseguirmos acompanhar os novos começos, poderemos ver-nos pular o verão e passar direto para o outono ou inverno. Entretanto, ficar sem o verão é como não ver o carrinho de sorvete passar. É suficiente para fazer um homem adulto chorar. No próximo capítulo, observaremos a estação do casamento que você não quer perder.

VERÃO

Além do olmo, mais perto do riacho, plantei cinco murtas. Nos primeiros anos elas cresceram lentamente — talvez por causa do solo pobre ou de minha falta de atenção. Mas, neste verão, estão em plena floração, bem carregadas de cachos de flores vermelhas. Aprendi com outras pessoas que as murtas florescem em tempos diferentes, ainda que estejam na mesma localização geográfica. Lá em cima, perto do complexo de apartamentos na rodovia, elas começaram a florescer no início de junho, mas as que plantei florescem da metade para o fim de junho. Elas sinalizam para mim que o verão já reina.

Nessa época do ano também comemos milho novo, quiabo e tomates. Nada tem mais sabor do que um tomate colhido no meio do verão. Tenho alguns amigos que diriam a mesma coisa a respeito de melancias ou abóboras. O verão é o tempo de o agricultor colher os benefícios do que foi plantado e cultivado na primavera.

Para as crianças, o verão é o tempo de relaxar. A escola fica fechada e a piscina aberta. E se alguém mora perto de um riacho, como no meu caso, é divertido pegar girinos. O sol fica acordado por mais tempo e o mesmo acontece com as crianças. Rostos quentes e suados indicam uma intensa atividade, mas para as crianças é pura alegria. "Temos de entrar? Estamos brincando", esse é o mantra do verão.

Diversão também é o tema de um casamento no verão. A vida é bela. Estamos colhendo os benefícios de nossos duros esforços para entendermos um ao outro e trabalharmos juntos como uma equipe para ver os sonhos da primavera realizados. A expectativa da primavera transformou-se na realidade do verão. O entusiasmo inicial talvez tenha esmorecido, todavia aumentou a sensação de que estamos conectados um ao outro. Temos menos mal-entendidos, e quando os temos, as soluções aparecem mais rapidamente.

Podemos ou não ter atingido nossas metas financeiras. Podemos ou não ter filhos. Podemos ter uma boa saúde ou não. Nossas férias podem ser satisfatórias ou frustrantes. Mas, se nosso casamento estiver na estação do verão, compartilharemos um profundo senso de compromisso e satisfação. E nos sentiremos seguros no amor de um pelo outro.

Então quais são as emoções, atitudes e ações que estimulam e sustentam a estação do verão em um casamento? De norte a sul e de leste a oeste, encontrei casais que descreveram seu casamento como estando na estação do verão. Observemos alguns exemplos.

As emoções do verão

O verão é caracterizado por sentimentos de felicidade, satisfação, realização e conexão. Procure as palavras que descrevem essas emoções nas histórias que se seguem:

Julia tem 37 anos e está casada há dezesseis. "O verão é legal", disse ela. "Estamos na 'mesma página' e, como meu marido sempre diz, isso 'torna nosso casamento divertido'. Abre meu coração para a comunicação."

Hal tem 63 anos e está casado com Geneva há 41 anos. Eu conheci o casal em Pasadena, na Califórnia. Ele disse: "É boa a sensação de estar contente comigo mesmo e com minha esposa nesta estação da vida. Com o termo contente, não quero dizer que parei de me esforçar para torná-la melhor. Apenas digo que existe algo nela que não consigo expressar em palavras, mas só sei que as coisas estão bem entre nós dois. Estamos ao lado um do outro". Quando Hal sorriu para Geneva, ela balançou a cabeça e acrescentou: "É isso mesmo. E nossa intenção é que continue assim".

Conheci Marc em um de meus seminários sobre casamento em Spokane, Washington. Casado com Jennifer há vinte anos. Ele relata: "Sinto que estamos no verão em nosso casamento. No passado ficávamos arrasados com os problemas, incluindo trabalho, criação dos filhos e muitos problemas físicos. Mas superamos todos eles e estamos mais fortes por causa deles. Nosso relacionamento parece satisfatório. Não há mais as brigas daqueles primeiros anos. É bom saber que sobrevivemos e realmente amamos um ao outro". Marc é um homem quieto e reservado, e por isso eu poderia dizer que as palavras dele expressaram o profundo senso de satisfação que ele sentia no íntimo. Jennifer acrescentou: "Fico contente em saber que não desistimos quando as coisas estavam difíceis. Valeu o esforço para termos o que temos agora".

Marsha tem 29 anos e está casada há dez meses. Ela e Reg residem em Tampa, na Flórida. Quando pedi a ela que descrevesse seu casamento, ela disse: "Está bom agora, muito melhor do que nos primeiros oito meses e meio". Olhando para Reg, ela acrescentou: "Ele finalmente entende aquilo a que me refiro quando dizia: 'Não me sinto especial. Não sinto que você me ama. Você não faz as coisas que fazia antes de nos casarmos'. Quando ele descobriu minha linguagem de amor e começou a falá-la, eu me senti amada novamente. Os últimos dois meses definitivamente foram o verão para mim".

Então, perguntei: "E você, Reg?". Ao que ele respondeu: "Ela está falando a minha linguagem de amor. Eu me sinto bem com o nosso relacionamento". E acrescentou: "Marsha está esperando nosso primeiro filho. Só espero que possamos manter vivo o verão depois do nascimento do bebê". É claro que Reg e Marsha estavam se sentindo ligados novamente depois de saírem de um começo difícil no casamento.

O verão pode aparecer em um momento agitado da vida, mas as atividades não precisam destruir a intimidade. Tricia tem 24 anos e está casada com Rob faz três anos. Ambos moram em Tucson, no Arizona. Ela disse: "Sinto-me bem com nosso relacionamento. Embora sejamos muito ocupados com nosso trabalho, ainda somos felizes e podemos passar um tempo de qualidade juntos. Acho que nós dois nos sentimos seguros com o amor de um pelo outro e espero que possamos conservá-lo assim para sempre".

Celeste reside em Arlington, no Texas, e está casada com Daniel há catorze anos. É o segundo casamento dela e o primeiro dele. "Nosso casamento, definitivamente, está na estação do verão", disse ela. "Isso me dá uma sensação de paz e confiança para saber que posso confiar em Daniel. Ele é tão atencioso, e espero que ele saiba que eu o amo mais do que qualquer pessoa no mundo." Celeste estendeu a mão e segurou a mão de Daniel. Ele sorriu e disse: "Eu realmente acredito nisso. E eu a amo mais do que qualquer pessoa no mundo. Somos tão felizes que Deus nos tem dado um bom casamento". *Felicidade*, *satisfação*, *paz*, *alegria*, *conforto* — essas são palavras que descrevem as emoções de um casal que está vivendo na estação do verão no casamento.

As atitudes do verão

Nosso terraço está cheio de lindas flores em vasos: não-me--toques, gérberas, hibiscos, petúnias, gerânios e portulacas. Todas vêm florescendo generosamente ao longo do verão. No entanto, uma observação que fiz é que, se as flores não forem regadas, elas murcham. As primeiras a cair quando a água para de fluir são as não-me-toques. Talvez seja por isso que elas tenham esse nome.

Os casamentos no verão se parecem muito com as flores: são belos, mas precisam ser regados. Os casais que conseguem ter uma estação prolongada de verão no casamento são os que aprenderam a preservar o que alcançaram. Eles reconhecem que a estação do verão não vem sem que tenham preparado a terra, plantado as sementes e cultivado o casamento. Agora que estão desfrutando da beleza do verão, marido e esposa querem preservá-lo e, por isso, têm uma atitude de trabalho e crescimento. Quase sem exceção, os casais que me dizem que seu casamento está na estação do verão também expressam o desejo de continuar a crescer.

Conheci Candace em Auburn, no Alabama. Ela está casada há cinco anos com Tim, e ambos definitivamente estão na estação do verão no casamento. Ela disse: "É como viver com meu melhor amigo. É divertido e eu realmente gosto disso. Mas percebo que devemos continuar a cultivar a parte romântica de nosso relacionamento. Do contrário, as atividades acabarão afastando-nos".

Tim repetiu essa atitude sobre o crescimento quando disse:

> Vejo o verão como algo um pouco mais maduro do que a primavera. Parte da fantasia desvaneceu, e estamos aprendendo que o amor, a afeição, o romance e o tempo juntos ainda podem acontecer — e devem acontecer —, a despeito da rotina

> diária. *Confortável* é de fato uma boa palavra para isso. Nós nos conhecemos bem o suficiente a ponto de vermos muitas falhas, mas nós nos amamos de qualquer jeito. E ainda estamos sempre nos fortalecendo em amor cada vez mais. Vimos que a vida pode ser difícil, mas ela tem nos aproximado mais, um ao outro e a Deus. Sabemos que o amor é algo que se constrói diariamente, e nossa intenção é mantê-lo vivo.

Casados há doze anos, Max e Brenda, de Columbus, Ohio, descrevem o casamento deles como algo que está na estação do verão, e é óbvio que a atitude do casal é a de crescimento. Max diz: "Estou feliz por estar na estação do verão em meu casamento. Nós nos sentimos à vontade um com o outro, mas sei que não podemos simplesmente ser levados por essa estação. Nós nos conhecemos bem e devemos continuar a nos conhecer, e não simplesmente cair na rotina. Quero que continuemos a explorar novas oportunidades, a viajar para novos lugares e a expressar normalmente nosso amor um ao outro".

Os comentários de Brenda refletem essa mesma atitude: "Estamos contentes com nossa vida, nosso emprego, a criação de nosso filho, nossa igreja e muitas outras coisas. Nós nos gostamos e podemos superar conflitos mais rápido agora do que no início do casamento. Estamos mais determinados a cuidar um do outro do que estávamos cinco ou seis anos atrás. Quero que continuemos a nos empenhar em nosso casamento, pois sei que as coisas podem ficar ainda melhores se continuarmos a expressar e a pensar como podemos servir um ao outro".

Já Amanda teve uma vida difícil. Estava no terceiro casamento e casada havia dois anos. Ela disse: "É muito prazeroso estar na estação do verão em nosso casamento. Estou feliz nesta circunstância, mas sei que há sempre oportunidades para se melhorar. Eu trouxe cinco filhos para este casamento, e meu marido nunca foi casado nem tem filhos. Por isso tivemos muitos ajustes importantes. Mas Deus tem sido tão fiel. Espero ansiosamente continuar a crescer. Estou contente por saber que meu marido está disposto a me ouvir e a trabalhar comigo à medida que moldamos nossa vida".

O verão não corresponde à perfeição, mas significa que os casais nessa estação têm um senso de realização e um desejo de continuar a crescer. A maioria dos casais na estação do verão no casamento percebe que é preciso trabalhar para chegar a essa condição. Eles têm uma atitude positiva com relação ao casamento, gostam de seu cônjuge e pretendem continuar a "regar as flores". Essas atitudes levam a ações positivas que mantêm a alegria do verão.

As ações do verão

Para a maioria de nós, o verão é um tempo de intensa atividade. Viajamos para lugares novos e temos novas experiências. Ou fazemos nossa peregrinação anual para a casa de praia ou as montanhas, onde revivemos as experiências de verões passados e criamos novas lembranças para o futuro. O verão não gera atividades, mas provê um clima no qual elas podem florescer. Normalmente, as crianças estão de férias da escola, temos algumas semanas de férias acumuladas no trabalho e o clima convida-nos a desfrutar da natureza. A maioria das famílias aceita esse convite, e o verão passa a ser uma estação cheia de atividades, porém divertida.

Em um casamento no verão, o clima emocional cálido produz ações positivas. O ambiente está tranquilo. Entendemos melhor nosso cônjuge, aceitamos as diferenças um do outro e aprendemos a resolver nossos conflitos. Embora a vida esteja cômoda, ainda queremos fazer algumas coisas positivas para "regar as flores" em nosso casamento no verão.

Comunicação construtiva

A comunicação construtiva é um importante componente de um casamento no verão. Conheci Nancy em Bangor, no Maine. Com 48 anos e casada havia seis anos, ela mostrou que seu casamento estava, seguramente, na estação do verão. "Gosto de estar casada. Casei-me aos 42 anos. Era uma solteira feliz e hoje gosto de estar casada". Quando lhe perguntei o que ela considerava ser a coisa mais importante em seu relacionamento, ela respondeu com uma palavra: "Conversar!".

> É isso. Meu marido trouxe para nosso casamento um filho de doze anos e uma filha de catorze anos. Tivemos de conversar; do contrário, é possível que não tivéssemos conseguido lidar com a fase da adolescência e uma ex-mulher alcoólatra e viciada em drogas que rejeitou os filhos. Nunca imaginei que as crianças quisessem mais do que eu que nosso relacionamento desse certo. Meu marido e eu tivemos de conversar muito um com o outro, e tivemos de conversar muito com as crianças. Os diálogos têm-nos dado um bom casamento, e espero que nunca deixemos de conversar.

Várias vezes, nas entrevistas que fiz com casais que situavam seu casamento na estação do verão, eles enfatizaram a comunicação aberta. Jeremy e Ruth casaram-se aos dezoito anos de idade e estão juntos há trinta. O casal reside em St. Louis, no Missouri. Ruth descreveu o casamento deles como algo que, com certeza, está na estação do verão.

— Somos os melhores amigos um do outro desde antes de nos casarmos e ainda o somos hoje — ela me disse. — Isso deixa nosso casamento alegre, tranquilo, unido e feliz.

Uma vez que já passamos por alguns problemas de verdade ao longo dos últimos anos, tivemos de conversar ainda mais. Nós dois gostamos de conversar, o que é maravilhoso quando se está casado por trinta anos. Estar na estação do verão em nosso casamento parece dar muita segurança e é bastante reconfortante.

— Então, o que originou este supercasamento? — perguntei.

— Quando nos casamos, fizemos os votos tradicionais, mas em particular fizemos alguns votos "extras", os quais procuramos seguir à risca. Primeiro, a postura de deixar as portas abertas, seja para o que for. Isto é, concordamos que, se alguma coisa estivesse chateando um de nós dois, o outro desejaria ser interpelado e estaria disposto a conversar a respeito. Segundo, o sol nunca se poria sobre a nossa ira. Sabíamos que a ira poderia destruir um casamento se não fosse resolvida. Por consequência, passamos muitas noites em claro até as primeiras horas da manhã — ela disse com um sorriso. — Terceiro, cada um de nós cuida dos membros de nossa família do modo que julgamos conveniente, porque nós dois fomos criados de formas muito diferentes.

Para Ruth, essas foram as chaves para a "rega das flores" do verão.

Em minha atividade como conselheiro, observei ao longo dos anos que os casais que mantêm uma comunicação aberta também chegam a soluções práticas, como a que Ruth e Jeremy descobriram para saber lidar com possíveis problemas com parentes por afinidade. Quando marido e mulher se comunicam abertamente um com o outro, os dois têm muito mais chances de encontrar soluções viáveis para o que poderia resultar, de outra forma, em sérios problemas no casamento.

A descrição de Jeremy de seu casamento foi muito parecida com a de Ruth:

— É muito estimulante estar em um casamento que resistiu a diversas estações, saber que o investimento que se fez na vida de alguém está trazendo vantagens, não apenas em nosso relacionamento, mas também com relação a nossas famílias e filhos.

— Como você criou esta estação de verão? — perguntei.

— Simples — ele respondeu. — Decidimos abrir-nos e ser honestos um com o outro, nunca ir para a cama com sentimento de ira ou guardar raiva ou ressentimento. Concordamos em perdoar, esquecer e seguir em frente no amor que temos, que está alicerçado no amor de Cristo.

Para mim, era óbvio que Jeremy e Ruth conheciam um dos segredos para continuar a viver na estação do verão no casamento. Por que a comunicação é tão importante? Porque ela é um processo pelo qual os cônjuges chegam a se conhecer e aprendem a trabalhar em conjunto como equipe.

Nem sempre é fácil arrumar tempo para a comunicação, mas é sempre possível. Jeanette e Sam estão casados há 27 anos. "Estou muito contente em meu casamento", ela disse. E acrescenta:

> Estamos esperando ansiosamente pela aposentadoria de meu marido em seu atual emprego para ficarmos tempo integral no ministério. Tivemos muitos momentos bons, mas também muitos momentos bastante difíceis. Mas nós dois procuramos encontrar formas para incentivar um ao outro. A chave de nosso casamento, na minha opinião, é que temos tentado gastar o tempo apenas no diálogo. Às vezes damos uma caminhada; outras vezes, vamos dar uma volta de carro para que possamos conversar a sós. Temos cinco filhos, e meus parentes por afinidade moram conosco. Minha filha e o marido também

moram conosco no momento, mas eles compraram uma casa e vão se mudar dentro de alguns meses. Na maioria das vezes, temos de sair de casa para podermos conversar. Algumas vezes conversamos rapidamente quando ele chega do trabalho. Ele me acha, onde quer que eu esteja, e nós conversamos sobre como foi o dia. É essa breve comunicação que nos mantém com o sentimento de que estamos unidos.

Aceitando as diferenças

Uma segunda ação importante para manter o casamento no verão é dar um ao outro a liberdade de ser diferente. As diferenças são inevitáveis, além disso podem causar muitas discórdias. Marido e mulher que desejam continuar na estação do verão darão, conscientemente, um ao outro a liberdade para pensar, sentir e reagir de modo diferente.

Lauren e Dean estão casados há oito anos. Os dois estão no segundo casamento. Ambos concordam que uma das coisas que mantêm o casamento na estação do verão é uma atitude positiva com relação às diferenças. "Aceitamos as diferenças um e do outro", observou Dean. "Este tem sido e continuará a ser para nós um processo de aprendizado e crescimento. Nós dois aprendemos com nosso primeiro casamento que, se o casal não aceitar as diferenças, ele passará a maior parte do tempo brigando. Concordamos que preferimos amar-nos a brigar, por isso damos um ao outro a liberdade para ser diferente."

Em Jefferson City, no Missouri, conheci Vivian. Com 74 anos, ela descreveu seus 53 anos de casada nestas palavras:

> Sinto-me muito abençoada por ter um casamento maravilhoso. Temos nossos pequenos altos e baixos, mas nos amamos muito e nos sentimos bastante abençoados por termos um ao outro. Aprendemos a ignorar nossas falhas e a concentrar-nos nas coisas positivas. Para nós dois, a vida é preciosa e, com a

> ajuda do Senhor, venceremos juntos. Compartilhamos nossas dores e nossas alegrias. Recentemente, passamos pela trágica morte de nosso filho. Mas Deus está conosco, e estamos um ao lado do outro. Por isso venceremos.

Aprender a ignorar as falhas do cônjuge é a chave para que as flores de um casamento no verão continuem a florescer.

Seminários e livros

Uma terceira medida comum entre casais que descrevem seu casamento situando-os na estação do verão é participar de seminários sobre casamento e buscar livros relacionados ao tema. Quando conheci Gary e Barb, de Roanoke, na Virgínia, eles estavam casados havia 28 anos e, sem dúvida, encontravam-se na estação do verão no casamento. Barb disse:

> Estou contente por saber que meu marido me ama e eu o amo. Passamos por momentos difíceis recentemente com o divórcio de nossa filha, já que ela e nossa neta tiveram de vir morar conosco. Mas nosso amor e nosso casamento só ficaram mais fortes. Para mim, o que mais nos tem ajudado são os seminários sobre casamento dos quais participamos. Todo ano durante o outono, nos últimos sete anos, participamos do Festival do Casamento, patrocinado pela LifeWay Christian Resources. Isso nos tem ajudado extraordinariamente. E, com certeza, o que estamos aprendendo hoje com você só vem a somar. Quero incentivar os casais a participar de um seminário sobre casamento todos os anos.

Samantha e Andrew estão casados há dezessete anos e residem em Colorado Springs. Samantha classifica o casamento como "verão com um pouquinho de outono". Ela explica:

> Tivemos alguns anos difíceis. Porém, há cerca de três anos, fizemos um curso em nossa igreja cujo tema era "As

> necessidades dele, as necessidades dela". Entre esse curso e o estudo do livro *As cinco linguagens do amor*, percebi que, ao procurar suprir as necessidades de Andrew e manter o amor no limite, tornaria mais fácil para ele suprir minhas necessidades. No entanto, levei catorze anos para chegar a esse ponto. E mesmo agora, se não estou a fim de expressar meus pensamentos e sentimentos, as coisas começam a desmoronar. Sei que precisamos continuar a aprender. Decidimos que, de agora em diante, vamos participar de uma conferência sobre casamento todos os anos.

Agradou-me principalmente o comentário feito por Samantha ao ir embora: "Sempre tive comigo que eu preferiria tentar fazer alguma coisa e fracassar a não fazer nada e ter sucesso".

Com essa atitude e com os planos pessoais para agir de modo positivo, Samantha e Andrew, imagino eu, passarão mais tempo aproveitando as flores do verão no casamento.

Crescimento espiritual

Muitos casais me mostraram que o fator mais significativo para que pudessem ter um casamento no verão é que eles encontraram formas para estimular o crescimento espiritual. Esse fator está presente no casamento de Bekah e Jon, unidos há nove anos. Ela disse: "É maravilhoso ter confiança em alguém que, você sabe, tem o mesmo objetivo que o seu no casamento. Nem sempre estivemos na estação do verão, mas, quando entregamos nosso casamento a Deus e o deixamos trabalhar, as coisas mudaram consideravelmente. Agora sabemos que para nós há um propósito maior do que simplesmente ter um casamento, e esse propósito é render glória a Deus. Isso trouxe uma dimensão maior para nossa vida e nosso casamento".

Van e Maria residem em Auburn, no Alabama, e estão casados faz catorze anos. Van nos conta:

> Somos muito religiosos e, para nós, grande parte do sucesso de nosso casamento se deve a isso. A igreja mantém-nos unidos como casal. Participamos de pequenos grupos, como casal e como indivíduos. Isso realmente nos tem ajudado a cumprir nossas responsabilidades. Existe algo no envolvimento com outros cristãos que estimula ações positivas entre nós dois. Maria e eu oramos juntos. Nós dois lemos a Bíblia individualmente e compartilhamos coisas que lemos. Juntos, lemos livros cristãos e conversamos abertamente quase todos os dias. Procuramos fazer pequenas coisas um para o outro que enriqueçam nossa vida. Deus nos tem dado um amor mútuo genuíno. Eu não trocaria isso por nada.

Uma vez que Deus instituiu o casamento, é perfeitamente compreensível ver casais que procuram aprender com ele ter o melhor casamento possível. Pesquisas mostram que isso é um fato.

Permanecendo no verão

Todo casamento terá suas estações de verão, mas como os casais conseguem *manter* o casamento no verão? Para responder a essa pergunta, gostaria de apresentar a você dois casais — um deles está casado há pouco tempo, e o outro, há muito tempo. Observe os vários elementos do verão citados por eles em cada descrição que fazem do próprio casamento e como o mantêm.

Mick e Lucy moram em Augusta, na Geórgia. E ele disse:

> Namoramos quase quatro anos antes de nos casarmos. Agora, estamos casados há cinco anos. Nesses anos, passamos por muita coisa: nossa mudança para o outro lado do país, a procura de novo emprego, o divórcio de meus pais depois de quase trinta anos de casados e muitas outras coisas. Esses

> conflitos ajudaram a estabelecer-nos em nosso casamento. Com a oração, o estudo da Bíblia, nosso amor mútuo e o apoio de familiares e amigos cristãos, superamos esses desafios. Temos uma "noite para namorar" uma vez por semana, ainda que isso se resuma em sentar no sofá juntos, dar uma caminhada ou sair para tomar sorvete. Independentemente do que seja, nós nos certificamos de que demonstramos o amor que sentimos um pelo outro todos os dias. Percebemos que, como casal, temos de nos empenhar em nosso casamento, e isso realmente é muito divertido.

Iris e George estão casados há 38 anos e moram no norte de Colorado. George descreveu seu casamento da seguinte forma:

> Chegamos a esta estação do casamento depois de pelejarmos nas estações do outono e do inverno. Nosso casamento no início era um pouco de primavera, e isso era legal, mas esta estação do verão é muito mais prazerosa para nós. Tínhamos sempre de renovar nosso compromisso enquanto atravessávamos nossos invernos e outonos. Tomamos, muito cedo, a decisão de fazer o que fosse necessário para que as coisas dessem certo e avançassem em nosso casamento, ainda que houvesse momentos em que não estivéssemos dispostos a isso. Nosso forte relacionamento sexual ajudou a manter-nos unidos quando nossas outras formas de comunicação eram deficientes. E devo dizer que confiar em Deus, ler livros cristãos sobre casamento e participar de seminários sobre o tema nos ajudaram mais do que qualquer coisa.

O verão é uma estação agradável do casamento. As flores estão desabrochando plenamente. As frutas e hortaliças que amadurecem nessa época estão ali para serem degustadas. Os casais desejosos de continuar na estação do verão farão coisas construtivas, que resultam de emoções e atitudes positivas. Em resumo, o casamento no verão é algo assim:

Verão	
Emoções:	Felicidade, satisfação, realização, união
Atitudes:	Confiança, compromisso em crescer, tranquilidade
Ações	Comunicar-se de forma construtiva, aceitar as diferenças, participar de seminários, ler livros, crescer espiritualmente
Clima do relacionamento:	Confortável, unido, que dá apoio, compreensivo. Na estação do verão no casamento, os sonhos da primavera se concretizam. Os casais desfrutam de muita satisfação com suas realizações. Eles resolvem conflitos de modo positivo. Tendo aceitado suas diferenças, procuram transformá-las em recursos em prol do relacionamento. Marido e esposa têm uma crescente sensação de cumplicidade.

O lado negativo do verão

Antes de deixarmos essa discussão sobre o verão, tenho de adverti-lo contra as vespas. No último verão, enquanto estava arrancando algumas ervas daninhas junto ao riacho, pelo visto eu me aventurei a chegar perto demais da boca de um ninho de vespas subterrâneo. Antes de reconhecê-lo, fui atacado por um batalhão delas. Corri para salvar minha vida, e as vespas vieram atrás de mim. Antes de chegar à segurança de minha casa, fui picado catorze vezes, o que me causou, por várias horas, uma terrível dor.

Em um casamento no verão, as vespas são semelhantes àqueles conflitos não resolvidos que se aninham sob a superfície de nossa vida diária. Talvez estejamos na estação do verão no casamento, aproveitando a vida em comum, vendo as flores desabrochar, arrancando um pouco das ervas daninhas que aparecem às margens de nosso relacionamento; mas existe outro nível, invisível, em nosso relacionamento, um ninho subterrâneo para onde empurramos nossos problemas não resolvidos. Quando um dos cônjuges ousa chegar perto demais da boca do ninho, as vespas saem voando e nos vemos debatendo no meio do verão.

Quando observarmos a Estratégia nº 4 [na segunda parte deste livro], encontraremos ideias práticas sobre como livrar-nos das vespas. Por ora, no entanto, é importante que você esteja ciente de que elas existem e devem ser discutidas, caso você pretenda continuar na estação do verão no casamento.

O verão é minha estação favorita do ano, bem como minha estação preferida no casamento. Karolyn e eu passamos a maior parte de nosso tempo na estação do verão, mas nem sempre foi assim. Nos primeiros anos de casamento, passamos tempo considerável na frieza do inverno, intercalado por algumas rápidas primaveras e muitas estações longas de outono. Levamos muito tempo para chegar ao verão. Talvez seja por isso que, finalmente quando chegamos lá, desejamos que nosso casamento fosse um eterno verão. Não posso dizer que atingimos esse objetivo, mas passamos mais tempo no verão do que em qualquer outra estação.

Em todo casamento, o verão pode facilmente passar para o outono, antes mesmo de o casal reconhecer essa mudança. O outono não é tão traumático quanto o inverno, mas não é tão agradável quanto o verão. No próximo capítulo, descreveremos a estação do outono em um casamento. Observaremos as emoções, as atitudes e as ações que levam um casal a concluir que "as folhas do casamento estão caindo e as flores definitivamente murcharam".

OUTONO

Na Carolina do Norte e em muitas outras partes do mundo, o outono é a estação mais colorida do ano. As colinas ficam pintadas com grandes manchas de amarelo, vermelho, laranja e vinho. Os botânicos podem explicar as causas naturais dessa súbita mudança de cor, mas a maioria das pessoas simplesmente gosta dela como uma obra de arte da natureza. Milhares de pessoas vão para as montanhas da região oeste da Carolina do Norte na estação do outono simplesmente "para ver as folhas".

O que não falamos, mas sabemos sem sombra de dúvida, é que tal espetáculo de cores é temporário. Logo os ventos frios rasgarão o cenário vibrante e as folhas cairão ao chão, deixando as árvores com os galhos descobertos. Um fenômeno interessante é que nem todas as folhas caem no mesmo dia; contudo, em um período de quatro a seis semanas, a beleza desaparece e a floresta fica sem sua roupagem. Ninguém vai para as montanhas para ver uma árvore desnuda.

O cair das folhas é uma analogia oportuna com o que acontece na estação do outono no casamento. No início do outono, o casamento parece maravilhoso visto de fora. Mas, dentro do casamento, as coisas estão mudando. E quando os ventos frios chegarem, então, a deterioração do casamento poderá ser vista por todos. O outono passa a ser o prelúdio do inverno. Como acontece com as outras estações do casamento, o outono tem um conjunto próprio de emoções, atitudes e ações.

As emoções do outono

As emoções do outono incluem sentimentos de tristeza, apreensão e rejeição, às vezes acompanhados por um sentimento de vazio emocional. O casal na época do outono está ciente de que as coisas não estão bem, embora esteja ou não expressando esses sentimentos um ao outro. Todavia, eles estão incomodados com a situação de seu relacionamento.

Marge tem 53 anos e está casada há trinta e dois. Observe as palavras emotivas que ela usa ao descrever seu casamento, situando-o na estação do outono: "Sinto muita insegurança com relação ao meu casamento. Meu marido não parece estar ciente do que está acontecendo, mas estou muito infeliz. Colocamos nossos filhos, o emprego de Rick e outras coisas acima de nós. Por consequência, agora que os filhos se foram, é como se estivéssemos nos afastando. É muito assustador, e não sei bem o que fazer a esse respeito. Às vezes, eu me sinto arrasada".

Conheci Kimberly em Little Rock, Arkansas. Casada há vinte anos, era evidente que ela estava preocupada com seu casamento.

— Acho que estamos nos últimos estágios do outono e nos aproximando do inverno — ela disse.

— Como é estar na estação do outono no casamento? — perguntei.

— Confuso, meio assustador, frustrante, esgotante e muito estressante — respondeu.

Ela continuou a descrever o casamento. Disse-me o que imaginava ter contribuído para seus sentimentos de angústia. O marido dela, que ouvia nossa conversa, não fez nenhum comentário. Quando olhei para ele e perguntei: "Como é tudo isso para você?", ele respondeu com uma única palavra: "Péssimo".

Outro marido, Marvin, de 53 anos e casado há 31, descreveu suas emoções da seguinte forma: "Eu me sinto deprimido, desanimado e menosprezado. Esta não é uma boa situação para se estar. Não estou contente com meu casamento. Alguma coisa precisa mudar; do contrário, não vamos conseguir levá-lo adiante". Marvin está nos últimos estágios do outono. O inverno certamente virá, se não houver mudanças significativas. O que animou nossa conversa foi o que ele disse em seguida: "Acredito que minha esposa e eu tiraremos grande proveito do seminário; já compramos vários livros que pretendemos ler em breve. Espero que eles nos ajudem a nos concentrar novamente em nosso relacionamento".

Algumas vezes, o outono vem logo no início de um casamento. Embora casados há dezoito anos, Jackie e Charles tiveram um início de outono em seu relacionamento, "apesar de termos nos casado em junho", disse Jackie.

> Charles começou a me rejeitar no dia em que nos casamos. Ele admitiu ter tido, pelo menos, um caso. No ano passado, ele entrou em uma profunda depressão. Graças a todas as conversas e aconselhamento, foi diagnosticado que estava com uma doença depressiva e codependência.[1] Ele tem

[1]Muita desinformação ainda cerca essa síndrome emocional e os problemas que causa na vida do codependente. Ainda assim, fontes médicas traçam

> sentimentos muito negativos com relação à mãe, já falecida, e lançou todos esses sentimentos sobre mim. Há dezoito anos nosso casamento é como uma montanha-russa emocional. Houve alguns momentos bons, mas, na maioria das vezes, vivemos no outono. Foi somente há pouco tempo que vi uma esperança. Pelo menos, Charles se dispôs a ir comigo a um seminário para casais. E ele se dispôs a discutir comigo um livro sobre casamento e, por isso, talvez haja esperança.

Quando perguntei para Charles: "Como você se sente com relação ao seu casamento?", ele disse: "Estou com medo, mas espero que tudo melhore com a ajuda de Deus".

Eu poderia citar outros inumeráveis exemplos de casais na estação do outono no casamento, mas talvez esses já sejam suficientes para estabelecer uma noção das emoções do outono: medo, tristeza, rejeição e solidão. Essas emoções também podem vir acompanhadas por sentimentos de depressão, falta de estima e ressentimento para com o cônjuge.

Stephanie, que está casada há dezenove anos e padece de uma doença debilitante, resume bem as emoções do outono:

> Eu me sinto sozinha, assustada, indecisa e amedrontada. Não sei ao certo como lidar com todas as emoções que acompanham mudanças devastadoras, um terrível prognóstico e uma dor física constante. Não aprendemos a lidar juntos com nossas emoções, por isso fiquei sozinha, emocionalmente cansada.

---

um perfil comum em que se nota uma busca constante para preencher o vazio emocional da vida, não raro de forma autodestrutiva. Outros aspectos: baixa autoestima, viver em função dos outros a quem quer controlar e propensão a desenvolver comportamentos compulsivos. Sua interferência afeta, sobretudo, o casamento: urgente necessidade de fazer o cônjuge feliz acaba sufocando a relação, em que a identidade de um ou do outro não é respeitada. (N. do E.)

As atitudes do outono

A principal atitude da estação do outono no casamento reside em uma grande preocupação com a situação do casamento e na incerteza com relação ao rumo que as coisas estão tomando. A maioria das pessoas não quer estar na estação do outono no casamento; em virtude disso, elas se preocupam. Elas reconhecem que estão ocorrendo muitas mudanças e, portanto, se sentem pouco à vontade com o que talvez esteja acontecendo em seu relacionamento.

Ginger, que tem 31 anos e está casada há quase sete, descreve como se sente:

> Estou muito indecisa com relação ao nosso relacionamento. Espero que agora tenhamos colocado Deus no centro de nosso casamento, afinal nunca estive tão insegura em relação a mim mesma, meu cônjuge e nosso casamento. Deus é a razão pela qual ainda estamos juntos e tentando. Não estou contente com esta estação. No momento, estamos fazendo um aconselhamento cristão. Olhando para trás, percebo que, na verdade, nunca falamos a linguagem de amor um do outro. Líamos os livros e aprendíamos com eles, mas não falávamos efetivamente sobre eles. Então, meu marido teve um caso de cinco meses com uma colega de trabalho. Com veemência, ele negou todas as minhas suspeitas até que, finalmente, confessou. Pela graça de Deus, ainda estamos juntos e deixando Deus operar, revelar e curar. Na força de Deus, esperamos, enfim, tornar-nos aquilo que ele tinha em mente para nós.

Harriett, casada há vinte anos e moradora de uma pequena cidade perto de Atlanta, na Geórgia, faz o seguinte relato:

> Muitas mudanças estão acontecendo em nossa vida. Nossa filha mais velha está se formando no colégio e logo sairá de casa para cursar uma faculdade. Muitos anos de nosso casamento

> concentraram-se em nossos filhos. Percebemos que, em algum momento ao longo do caminho, toda nossa atenção havia se voltado para nossos filhos, e não realmente para nós como casal. O que vamos fazer? Meu marido, ao preencher sua avaliação, escreveu: "Estamos na estação do verão em nosso casamento". Será que vivemos no mesmo mundo? É o que às vezes me pergunto. Estou muito preocupada com nosso casamento.

Joan e Will estão casados há apenas oito meses, porém descrevem o casamento deles como um relacionamento que se encontra na estação do outono. Joan disse:

> É terrível. Eu gostaria que fosse diferente. Existem muitas dúvidas sobre onde me encaixo na vida de Will e se ele me ama ou não. Deixamos que a família dele interferisse em nossa vida já nos primeiros meses de casamento, e a confiança se quebrou ou nunca foi criada. Estamos agora tentando seguir o conselho bíblico que diz que devemos deixar os pais e nos unir um ao outro, a fim de restaurarmos nosso relacionamento. Oro todos os dias a Deus que eu seja libertada de minhas inseguranças.

Por sua vez, Will descreveu o casamento desta forma:

> Tenho muita esperança, mas os momentos são muito difíceis. Sei que sairemos vitoriosos e levaremos uma vida feliz, apesar de, no momento, discutirmos quase todos os dias. Estamos aprendendo a nos amar e a cuidar um do outro. O Senhor está nos ajudando nesse processo. Estou entusiasmado com o que ouvi no seminário para casais e espero que coloquemos isso em prática. Tivemos um começo muito complicado, mas estamos aprendendo cada vez mais a demonstrar o amor que sentimos um pelo outro. Espero que possamos chegar à primavera e começar a edificar nosso casamento em um firme alicerce.

Se conseguirem concretizar essas expectativas, Will e Joan poderão descobrir a primavera novamente.

O casamento de Patrick e Tricia já soma dezenove anos. Como ele está no Exército, os dois tiveram de morar em muitos lugares diferentes. Ele diz:

> Nosso casamento tem experimentado o fim do outono e o início do inverno. Nesse último ano nos esforçamos muito para nos recuperar, portanto estamos dando um jeito para seguir rumo à primavera. O fato de eu ter sido enviado para o Iraque por um ano mostrou, para nós dois, o que poderíamos perder. Estamos progredindo por meio da comunicação, da oração e da leitura de livros cristãos. Estou tentando me tornar o líder espiritual de nossa família e mostrar a minha esposa quanto eu a amo.

A esposa dele, Tricia, descreveu o casamento da seguinte forma:

> Estamos reconstruindo nosso casamento depois de ficarmos separados por um ano, pois meu marido estava no Iraque. É um pouco assustador, mas sei que ficaremos mais próximos. Isso porque, nesse ano em que ficamos separados, cada um de nós se aproximou mais de Cristo. Somente Deus poderia ter curado um casamento como o nosso. Antes de Patrick partir para o Iraque, nós estávamos tomados pela apatia e pelo orgulho. Foi preciso ele ir embora para que eu o apreciasse e percebesse o tesouro que o Senhor me tinha dado nele. Todo dia é um passo para nos aproximarmos do plano de Deus para nós como um casal.

É claro que alguns desses casais têm uma esperança maior do que a de outros. No entanto, todos eles têm certo grau de incerteza; todos estão muito preocupados com o casamento. Se esses casais passarão do outono para o inverno ou do outono para a primavera, isso é algo que depende muito das coisas que eles optarem por fazer.

As ações do outono

Nesta seção, vamos discutir as ações que levam casais à estação do outono no casamento e as ações que os desencaminham. Sem dúvida, a primeira ação que contribui para a estação do outono no casamento é — de forma esmagadora — a *negligência*, ou não fazer nada. A suposição implícita parece ser a de que o casamento se encarrega de si mesmo. Marido e esposa têm os próprios interesses à parte e se esquecem de fazer os tipos de coisas que criam um relacionamento conjugal positivo. Por essa razão, aos poucos eles se afastam um do outro. Talvez venham a bater contra a realidade de que seu casamento está na estação do outono por causa de alguma crise, como um caso extraconjugal, mas a verdade é que eles estavam na estação do outono havia semanas — talvez meses — antes que a crise viesse à tona. As folhas mudaram de cor e, lentamente, caíam dos galhos, mas eles não reconheceram isso porque não estavam em sintonia um com o outro. O modo pelo qual eles respondem à crise ou vai empurrá-los para o inverno ou vai levá-los novamente para a primavera.

Repetidas vezes, na pesquisa que fiz durante a preparação para escrever este livro, os casais que situaram seu casamento na estação do outono disseram que negligenciar um ao outro foi o fator fundamental para gerar a estação do outono.

Kimberly, de Little Rock, que conhecemos logo no início deste capítulo, classificou seus sentimentos de "confusos, meio assustadores, frustrantes, esgotantes e muito estressantes", isso depois de vinte anos de casada. Quando perguntei: "Em sua opinião, o que a levou a esta estação do casamento?", ela disse: "Falta de comunicação, não passar um tempo juntos, não ter nada em comum, levar vidas separadas. Isso leva a problemas que incluem vício em drogas, infidelidade, mentiras e falta de confiança". É interessante observar a evolução da distância que se criou entre Kimberly e o marido, e isso começou com muita negligência.

Marvin é o marido que conhecemos anteriormente e dizia sentir-se "deprimido, desanimado e menosprezado". Ao descrever como chegou à estação do outono no casamento, ele disse: "Acho que o principal problema foi a falta de comunicação. Nós nos ocupamos tanto com a questão de ter e educar nossos três filhos e de ganhar a vida, que não demos prioridade ao tempo um com o outro. Por consequência, nós nos distanciamos".

Mildred, que reside em Spokane, Washington, e está casada há 33 anos, descreveu seu casamento desta forma: "Não é bom. Sei que o casamento continuará e sobreviverá, mas quero que haja afeição e crescimento. Nossos filhos cresceram, saíram de casa e constituíram a própria família. Quando eles se foram, meu marido e eu não tínhamos mais aquele foco comum; tínhamos a tendência de fazer o que bem quiséssemos individualmente e, assim, nos distanciamos. Simplesmente negligenciamos nosso relacionamento".

Moradora de Baton Rouge, na Louisiana, Carol repetiu esses mesmos sentimentos: "Estou casada com meu segundo marido há doze anos, e não cultivamos nosso casamento. Voltamos toda a nossa atenção para os filhos, ignorando as necessidades um do outro. Agindo assim, causamos prejuízo a nós mesmos e a nossos filhos. A situação de nosso casamento é uma grande frustração. Mas creio que lá ainda está o alicerce. Meu marido mostra-se aberto, e estamos tentando reconstruir nosso relacionamento".

Sem dúvida, a negligência é o que leva os casais à estação do outono no casamento. Quando o marido e a esposa deixam o relacionamento à deriva, os dois sempre se afastam um do outro. Quando eles se distanciam, a vida fica incerta e assustadora. Quando percebem que estão na estação do outono no casamento, os casais têm uma escolha: eles podem fazer coisas positivas que levem novamente à primavera ou verão, ou podem fazer escolhas destrutivas que levem ao inverno e possivelmente ao fim do casamento.

Uma das ações que perpetuam o outono ou levam ao inverno é não procurar resolver os problemas. Marti, que mora em Fort Wayne, Indiana, retrata bem esse dilema.

> Estamos casados faz quatro anos e estou muito infeliz com o casamento. Simplesmente não gosto muito de Jon. É como se eu estivesse descontrolada, e para mim essa não é uma situação comum. Ele quer sexo o tempo todo, independentemente do fato de as crianças ainda estarem acordadas ou de eu estar bem no meio do jantar. Preciso de algumas coisas que me levem a isso... sabe, palavras carinhosas, um belo jantar, uma casa silenciosa. Ele não se preocupa com o que se passa pela casa, desde que tenhamos sexo. Não era assim no começo. Admito que minha resposta tem sido negativa. Não que, de modo consciente, eu evite sexo, mas percebo que meu ressentimento controla minhas ações. Às vezes passamos meses sem ter relações sexuais. Não me orgulho disso. Tento me esforçar, conscientemente, para tocá-lo, mas ele nunca se satisfaz. Tento enchê-lo de amor, mas ele nunca me enche. Estou amarga, inflexível e ressentida. Sei que algo precisa mudar.

Marti está totalmente certa. *Algo precisa mudar.* Os problemas não resolvidos vão manter os casais na estação do outono no casamento — ou, mais provavelmente, vão levá-los ao inverno.

A infidelidade sexual é outro fator que tem o potencial de empurrar um casamento no outono para a estação do inverno. Como disse Emily, de Norfolk, na Virgínia:

> Meu coração está partido. Depois de 37 anos de casamento, nunca imaginei que estaríamos nesta situação. É o segundo caso de meu marido do qual estou ciente. Desta vez é mais sério do que antes. Ele é sócio de uma empresa bem-sucedida, além de muito ativo na comunidade e funcionário público respeitado em nosso município. Mas acho difícil respeitá-lo. Ele é filho único e ficou muito egoísta. Temos três filhas casadas e seis netos, com outro a caminho. Ele está disposto a perder tudo isso por uma mulher muito agressiva.
>
> Tentamos fazer juntos o aconselhamento. Depois da primeira sessão, ele não voltou mais, pois não gostou do conselheiro. O segundo conselheiro disse-nos que estávamos gastando dinheiro à toa porque meu marido não mostrava remorso, culpa ou vergonha pelo que estava fazendo. Acho que ele agora está fazendo aconselhamento sozinho. Oro por ele e por ela várias vezes por dia. Os dois dizem que são cristãos, mas palavras não valem nada. Já aguentei tudo que poderia aguentar, contudo ainda estou orando e esperando que ele se disponha a salvar nosso casamento.

A situação de Emily expõe a realidade de que é necessário que ambos façam por onde para que o casamento saia do outono e passe para a primavera. No entanto, basta apenas um deles para levar o casamento do outono para o inverno. A maneira pela qual pensamos e as ações que tomamos fazem toda a diferença. A estação do outono no casamento é caracterizada por uma sensação de desunião. As folhas de nosso casamento estão começando a cair, e não sabemos exatamente o que o futuro nos reserva. Pode ser um momento muito preocupante. Aqui está um resumo de um casamento no outono:

Outono	
Emoções:	Medo, tristeza, depressão, apreensão, desânimo, ressentimento, sentimentos em que a pessoa se sente menosprezada
Atitudes:	Preocupação, incerteza, culpa
Ações	Negligenciar, não enfrentar os problemas
Clima do relacionamento:	Afastamento, desprendimento. Na estação do outono, os casais sentem que algo está acontecendo, mas não sabem ao certo o que é. Há uma sensação de desunião. Um dos cônjuges ou ambos começam a se sentir abandonados. Os casais percebem a existência de alguns problemas que eles não estão enfrentando com honestidade. Parece que estão separados emocionalmente, e cada um tem a tendência de culpar o outro. Se eles ficarem na estação do outono por determinado tempo, os amigos e familiares talvez estejam reparando nas mudanças.

Aproveitando ao máximo o outono

Os casais muitas vezes estão nos primeiros estágios do outono antes de perceberem isso. Eles se ocupam com as atividades do verão, aproveitando a vida, mas por vezes ignorando um ao outro. Quando a cor das folhas começa a mudar, os casamentos ainda parecem bons, se observados de fora. Os casais estão no arrebol da tarde de verão, mas interiormente cada um dos cônjuges está aos poucos se desligando.

No último estágio do outono, as folhas se vão e o vazio do relacionamento fica visível. É esse vazio emocional que causa preocupação, incerteza e medo. A consciência amanhecente da separação, com frequência, motiva um dos cônjuges ou ambos a procurar ajuda. Talvez eles concordem em participar de um seminário para casais, procurar a ajuda de um conselheiro ou ler e discutir um livro sobre casamento. Uma jovem esposa disse certa vez: “Nunca pensei que faria aconselhamento, mas estou tão preocupada com o que está acontecendo em nosso casamento. Sei que precisamos de ajuda e não quero esperar até que seja tarde demais”. As incertezas do outono podem revelar-se uma tábua de salvação se o casal se voltar para a direção certa.

O outono pode levar diretamente à primavera ou a uma volta ao verão. Todavia, se os casais simplesmente deixarem que “a natureza siga seu curso”, inevitavelmente despertarão no inverno. Na segunda parte deste livro, observaremos estratégias específicas a fim de aproveitar ao máximo a estação do outono no casamento.

É possível que, ao ler esses capítulos introdutórios, você tenha facilmente identificado a estação de seu casamento; ou talvez tenha tido dificuldade para fazer a distinção entre primavera e verão ou outono e inverno. É verdade que os últimos estágios do outono e os primeiros estágios do inverno são muito parecidos. O mesmo se aplica aos últimos estágios da primavera e os primeiros estágios do verão. Porém, antes de prosseguirmos nossa discussão sobre as estratégias para melhorar as estações de seu casamento, é importante que você identifique a estação em que se encontra. No próximo capítulo, você poderá consultar uma seção de estações conjugais que o ajudará a definir essa questão.

A seção das estações conjugais não foi elaborada para ser um instrumento científico capaz de forçá-lo a se encaixar em uma categoria sazonal; pelo contrário, é uma ferramenta de comunicação que ajudará você e seu cônjuge a observar de forma honesta o casamento. Seja qual for a conclusão pessoal sobre a estação de seu casamento, acredito que você achará a segunda parte deste livro extremamente útil para descobrir, ou redescobrir, o entusiasmo da primavera e as alegrias do verão. Espero que você também entenda que as estações do outono e do inverno não são inteiramente inúteis. Muitas vezes, elas servem de alerta para estimular o crescimento conjugal. *Nenhum casamento está perdido!* Com a ajuda de Deus, todas as coisas são possíveis.

SEÇÃO DAS ESTAÇÕES CONJUGAIS

Os relacionamentos conjugais estão sempre em mudança. Como vimos, eles passam por estações identificáveis que podem ocorrer inúmeras vezes ao longo da vida de um casamento. Ou seja, todo casal experimentará uma sucessão de invernos, verões, primaveras e outonos. É importante identificar a estação atual de seu casamento porque isso vai ajudá-lo a se conscientizar da qualidade da relação conjugal neste momento e das atitudes, emoções e ações que caracterizam o relacionamento.

Algumas estações do casamento são mais agradáveis e produtivas do que outras. Reconhecer a estação de seu casamento vai permitir que você tome medidas positivas para preservar as alegrias da primavera e do verão, bem como corrigir os comportamentos negativos que levam ao outono e inverno. Se você e seu cônjuge estiverem dispostos a fazer o teste a seguir, isso poderá representar um modo de vocês dois discutirem honestamente a qualidade de seu casamento e tomarem medidas positivas para estimular o crescimento conjugal. É recomendável que se faça o teste individualmente, sem discuti-lo, até que se obtenham os resultados. Nas páginas seguintes, há uma seção com a soma dos pontos do teste para cada um dos cônjuges.

Indicador das estações conjugais

Em que estação seu casamento se encontra? Quatro palavras ou expressões aparecem em cada uma das dezesseis linhas a seguir. Escolha uma palavra ou expressão por linha que melhor represente os pensamentos e sentimentos com relação ao seu casamento nessas últimas semanas. Uma vez selecionada uma palavra ou expressão por linha, some cada uma das quatro colunas, atribuindo o valor de 1 a cada escolha daquela coluna. Você terá uma pontuação de 0 a 16 em cada uma das quatro colunas. Na página a seguir, você vai encontrar instruções para interpretar suas pontuações.

1.	❑ Desestimulante	❑ Emocionante	❑ Satisfatório	❑ Incerto
2.	❑ Perdido	❑ Feliz	❑ Tranquilo	❑ Confuso
3.	❑ Vazio	❑ Esperançoso	❑ Comprometido	❑ Estressante
4.	❑ Áspero	❑ Estimulante	❑ Seguro	❑ Frustrante
5.	❑ Ressentido	❑ Aberto	❑ Confiante	❑ Cansado
6.	❑ Destrutivo	❑ Vigoroso	❑ Descontraído	❑ Distante
7.	❑ Rejeição	❑ Expectativa	❑ Apreciação	❑ Apreensão
8.	❑ Tenso	❑ Compartilha	❑ Honesto	❑ À deriva
9.	❑ Desiste	❑ Faz planos	❑ Trabalha em equipe	❑ Apático
10.	❑ Crítico	❑ Atencioso	❑ Ligado	❑ Preocupante
11.	❑ Irritado	❑ Alegre	❑ Compreensivo	❑ Esgotante
12.	❑ Frustrado	❑ Otimista	❑ Confortável	❑ Negligente
13.	❑ Não confia	❑ Afetuoso	❑ Dá apoio	❑ Receoso
14.	❑ Retraído	❑ Em crescimento	❑ Unido	❑ Desunido
15.	❑ Frio	❑ Vivo	❑ Contente	❑ Orgulhoso
16.	❑ Inflexível	❑ Disposto a mudar	❑ Ignora falhas	❑ Distancia-se
	Total da Coluna **1**	Total da Coluna **2**	Total da Coluna **3**	Total da Coluna **4**

Interpretando suas pontuações

Como você pode ter imaginado, a coluna 1 lista palavras e expressões que são normalmente usadas para descrever a estação do inverno no casamento. A coluna 2 representa a primavera. A coluna 3 representa o verão. A coluna 4 representa o outono. A coluna com o maior número de pontos reflete a estação de seu casamento no momento. O mesmo número ou um número aproximado de pontos entre duas estações sugere que o casamento tem elementos de ambas as estações ou pode estar em transição. O maior número possível de pontos para qualquer estação é 16. Se você fez 16 pontos, isso mostra que seu casamento está bem centrado naquela estação.

Você concorda com suas pontuações? Está surpreso? Na página a seguir, você vai encontrar um segundo indicador das estações conjugais para ser preenchido pelo cônjuge. Depois disso, ambos poderão comparar as respostas e discutir a contribuição, positiva ou negativa, que cada um de vocês fez para levá-los a essa estação. Se você estiver em uma estação agradável, parabéns! Continue o bom trabalho!

A segunda parte deste livro vai ensinar-lhe algumas estratégias para fazer seu casamento continuar a crescer e prosperar. Se você não estiver em uma estação agradável, não desista. As estratégias apresentadas na segunda parte vão oferecer-lhe algumas medidas práticas que você pode tomar para melhorar o casamento. Independentemente da estação de seu casamento, há esperança e chance de ele melhorar. Assuma o compromisso de se empenhar para ter o melhor casamento possível.

Indicador das estações conjugais para seu cônjuge

Em que estação seu casamento se encontra? Quatro palavras ou expressões aparecem em cada uma das dezesseis linhas a seguir. Escolha uma palavra ou expressão por linha que melhor represente os pensamentos e sentimentos com relação ao seu casamento nessas últimas semanas. Uma vez selecionada uma palavra ou expressão por linha, some cada uma das quatro colunas, atribuindo o valor de 1 a cada escolha daquela coluna. Você terá uma pontuação de 0 a 16 em cada uma das quatro colunas. Na página a seguir, você vai encontrar instruções para interpretar suas pontuações.

1.	❑ Desestimulante	❑ Emocionante	❑ Satisfatório	❑ Incerto
2.	❑ Perdido	❑ Feliz	❑ Tranquilo	❑ Confuso
3.	❑ Vazio	❑ Esperançoso	❑ Comprometido	❑ Estressante
4.	❑ Áspero	❑ Estimulante	❑ Seguro	❑ Frustrante
5.	❑ Ressentido	❑ Aberto	❑ Confiante	❑ Cansado
6.	❑ Destrutivo	❑ Vigoroso	❑ Descontraído	❑ Distante
7.	❑ Rejeição	❑ Expectativa	❑ Apreciação	❑ Apreensão
8.	❑ Tenso	❑ Compartilha	❑ Honesto	❑ À deriva
9.	❑ Desiste	❑ Faz planos	❑ Trabalha em equipe	❑ Apático
10.	❑ Crítico	❑ Atencioso	❑ Ligado	❑ Preocupante
11.	❑ Irritado	❑ Alegre	❑ Compreensivo	❑ Esgotante
12.	❑ Frustrado	❑ Otimista	❑ Confortável	❑ Negligente
13.	❑ Não confia	❑ Afetuoso	❑ Dá apoio	❑ Receoso
14.	❑ Retraído	❑ Em crescimento	❑ Unido	❑ Desunido
15.	❑ Frio	❑ Vivo	❑ Contente	❑ Orgulhoso
16.	❑ Inflexível	❑ Disposto a mudar	❑ Ignora falhas	❑ Distancia-se
	Total da Coluna **1**	Total da Coluna **2**	Total da Coluna **3**	Total da Coluna **4**

Interpretando suas pontuações

Como você pode ter imaginado, a coluna 1 lista palavras e expressões que são normalmente usadas para descrever a estação do inverno no casamento. A coluna 2 representa a primavera. A coluna 3 representa o verão. A coluna 4 representa o outono. A coluna com o maior número de pontos reflete a estação de seu casamento no momento. O mesmo número ou um número aproximado de pontos entre duas estações sugere que o casamento tem elementos de ambas as estações ou pode estar em transição. O maior número possível de pontos para qualquer estação é 16. Se você fez 16 pontos, isso mostra que seu casamento está bem centrado naquela estação.

Você concorda com suas pontuações? Está surpreso? Compare essas respostas com as de seu cônjuge. Ambos agora podem discutir a contribuição, positiva ou negativa, que cada um de vocês fez para levá-los a essa estação. Se você estiver em uma estação agradável, parabéns! Continue o bom trabalho! A segunda parte deste livro vai ensinar-lhe algumas estratégias para fazer com que seu casamento continue a crescer e prosperar. Se você não estiver em uma estação agradável, não desista. As estratégias apresentadas na Segunda Parte vão oferecer-lhe algumas medidas práticas que você pode tomar para melhorar o casamento. Independentemente da estação de seu casamento, há esperança e chance de ele melhorar. Assuma o compromisso de se empenhar para ter o melhor casamento possível.

SEGUNDA PARTE

Sete estratégias para melhorar as estações de seu casamento

Agora que entendemos as características das quatro estações do casamento, voltemos nossa atenção para sete estratégias que podem fazer seu casamento passar do frio do inverno para o calor do verão; da incerteza do outono para o entusiasmo da primavera; ou melhorar a qualidade do casamento, independentemente da estação. Essas estratégias com base bíblica são o fruto de minha experiência como conselheiro nesses últimos trinta anos. Eu vi inúmeros casamentos se voltar para uma direção positiva por meio da aplicação dessas ideias. O objetivo delas não é necessariamente serem usadas em ordem numérica; porém lidar com as falhas do passado (Estratégia nº 1) muitas vezes significa algo como limpar os restos de um relacionamento e preparar o terreno para a implementação das outras estratégias.

Cada estratégia tem o potencial de melhorar a estação de seu casamento. Como sugestão, peço que você leia todas as sete estratégias e, depois, volte e selecione a que lhe parece mais apropriada para ser implementada inicialmente. Se seu cônjuge estiver disposto a se juntar a você, então o que os dois aprenderem e aplicarem, após a leitura dos sete capítulos seguintes, poderá ser o começo de um modo completamente novo de vocês se relacionarem um com o outro. Se, todavia, seu cônjuge não quiser "ter nada a ver com este livro sobre *Estações*", é possível que você considere a Estratégia nº 7 muito proveitosa.

Se você se acha na estação da primavera ou do verão em seu casamento, essas estratégias vão dar-lhe ideias práticas para manter seu casamento vivo e em crescimento. Se você está na estação do outono ou do inverno no casamento, essas mesmas estratégias poderão fazer com que o relacionamento siga para uma estação mais quente e mais agradável. Os casamentos crescem ou regridem; nunca ficam parados. Suas atitudes e ações afetarão suas emoções e as do cônjuge. Essas estratégias vão desafiá-lo a desenvolver atitudes e ações positivas que melhorarão amplamente o clima emocional de seu casamento.

ESTRATÉGIA Nº 1

Resolva as falhas do passado

Todo casal precisa entender esta estratégia, mas os casais nas estações do outono ou do inverno no casamento vão precisar passar mais tempo aqui, identificando e processando as falhas do passado. A maioria de nós pode identificar-se com Brent, que disse: "Sei que cometi falhas no passado. Nós dois falhamos; mas por que não podemos esquecer o passado e nos concentrar no presente e no futuro?". Eu me identifico bastante com o desejo de Brent, mas as coisas não funcionam assim. Temos de lidar com o passado antes de podermos deixá-lo para trás. Do contrário, ele continua a voltar. Porém, uma vez que tenhamos resolvido nossas falhas do passado, podemos investir nossa energia focalizando no presente e criar estações melhores no futuro. A estratégia definida neste capítulo é a que usei com centenas de casais ao longo dos anos para ajudá-los a lidar de modo realista com as falhas do passado. Estou convencido de que ela também funcionará com você.

Lidar com as falhas do passado envolve três passos: 1) identificar as falhas do passado, 2) confissão e arrependimento e 3) perdão. O primeiro passo talvez seja o mais difícil.

Passo nº 1: Identificar as falhas do passado

O primeiro passo para lidar com as falhas do passado é identificá-las. Quando compartilhei essa ideia com Brent, ele me disse:

— Oh, não tenho nenhum problema com isso. Helen repete minhas falhas toda vez que estamos no meio de uma discussão.

— Talvez — eu disse. — Mas acho que ela não lista nem 30% de suas falhas. Sem dúvida, as críticas dela o irritam. Você está cansado de ouvi-la falar de seus defeitos e quer que ela se esqueça deles. Mas o fato é que você não se deu ao difícil trabalho de identificar as próprias falhas.

Brent não ficou muito feliz com minha abordagem inicial, por isso questionou:

— Mas e ela? Ela não tem falhas também?

— Muitas. Eu ainda nem conheço sua esposa, mas estou certo de que ela tem falhas porque é humana. Mas, neste exato momento, estou conversando com você, e você expressou um desejo de que ela "se esquecesse do passado e vivesse no presente com a perspectiva de tornar melhor o futuro". Estou lhe dizendo quão possível é isso. E isso começa com *você*.

Minha abordagem direta com Brent baseou-se em uma descoberta que fiz durante meus anos como conselheiro conjugal. A realidade é que a maioria de nós pode identificar as falhas de nosso cônjuge muito mais prontamente do que podemos identificar as nossas próprias falhas. Jesus descreveu o problema em Mateus 7:3-5. Se aplicássemos o seu ensino no casamento, ele passaria a ser algo assim: "Por que vês tu o argueiro no olho de teu cônjuge, porém não reparas na trave que está no teu próprio? (...) Tira primeiro a trave do teu próprio olho e, então, verás claramente para tirar o argueiro do olho de teu cônjuge".

Quando li esses versículos para Helen, esposa de Brent, várias semanas depois, ela disse:

— Mas não é assim que as coisas funcionam em nosso casamento. Brent não tem um *argueiro* no olho, ele tem centenas de *traves*. Sei que não sou perfeita, mas ele é o verdadeiro problema em nosso casamento.

— Talvez você esteja certa — eu disse. — No entanto, uma vez que você é uma discípula de Jesus, você estaria disposta a começar onde Jesus nos disse para começar, ou seja, lidando com suas próprias falhas?

Já que a resposta dela não foi imediata, acrescentei:

— Eu me comprometo a ajudar Brent a lidar com as falhas *dele* se você se comprometer a lidar com as suas.

— Estou disposta a fazer isso — disse Helen. — Mas só quero que você saiba onde está o verdadeiro problema.

Deixei passar o que ela falou sem nada comentar e, então, disse:

> Tudo bem, aqui está sua tarefa para esta semana: quero que você reserve duas horas para ficar a sós com Deus. Pegue sua Bíblia, uma agenda e uma caneta ou lápis. Quero que você faça uma oração muito bíblica. É a oração de Davi, encontrada em Salmos 139:23,24. Como você sabe, Davi teve muitas falhas na vida. Aqui está a oração dele: "Sonda-me, ó Deus, e conhece o meu coração, prova-me e conhece os meus pensamentos; vê se há em mim algum caminho mau e guia-me pelo caminho eterno". Peça a Deus que lhe mostre formas e momentos específicos nos quais você desapontou Brent nos últimos dezessete anos. Você pode até começar com seu tempo de namoro e noivado e, depois disso, passar pelo casamento, pela lua de mel, pelo primeiro ano de casamento e assim por diante. Peça a Deus que lhe traga à mente as vezes em que você falou de forma áspera com ele ou se retirou em silêncio, as vezes em que você fez coisas que o magoaram ou o tratou

> com grosseria. Enquanto você ouvir a voz de Deus, quero que faça uma lista de todas as coisas que ele lhe trouxer à mente.
>
> Quero adverti-la, no entanto, de que Satanás também tentará falar em sua mente. A mensagem dele será algo assim: "Bom, é claro que você não foi amável, mas isso aconteceu por causa daquilo que Brent fez a você. Não é sua culpa. Isso não tem importância". Satanás não quer que você seja honesta. Ele quer que você culpe os outros pelos seus próprios pecados. Lembre-se de que Adão e Eva ouviram a voz de Satanás. Adão culpou Eva que, por sua vez, culpou a serpente. Se desejarmos lidar com as falhas do passado, teremos de identificá-las e estar dispostos a aceitar a responsabilidade por nosso próprio comportamento injusto.

Helen mostrou que havia entendido a tarefa.

— No entanto, duas horas é muito tempo — ela disse. — Não acho que precisarei desse tempo todo.

— Não interrompa o processo — alertei. — Reserve as duas horas e, pelo menos, a cada quinze minutos peça a Deus que lhe mostre mais falhas suas.

— Tudo bem — ela disse. — Mas não pense que levarei duas horas.

Senti que, para Helen, eu não estava lidando com o verdadeiro problema, mas ela estava disposta a concordar com minha estratégia.

Na semana seguinte, Helen voltou com sua lista.

— Descobri mais coisas do que imaginava. Mas são, sobretudo, coisas pequenas, e pedi a Deus que me perdoasse.

— Não, não, não — eu disse. — Não estamos prontos para isso.

— O que você quer dizer? — ela perguntou. — Não temos de confessar nossos pecados a Deus?

— Sim, mas primeiro temos de identificá-los.

— Bom, foi isso que fiz — ela disse.

— Não, não, não. Você deu o primeiro passo. Tenho outra tarefa para você nesta semana.

Em seguida, comuniquei-lhe a tarefa seguinte:

> Quero que você converse com cada um de seus filhos individualmente. Diga-lhes que você está se esforçando para melhorar o casamento. Diga-lhes que está tentando identificar suas falhas no casamento, que você quer que eles lhe digam as vezes das quais se lembram em que você falou de modo áspero com Brent, em que o tratou de modo grosseiro e injusto. Diga-lhes que você quer que eles sejam totalmente sinceros porque você sabe que não poderá melhorar o casamento se não for honesta.
>
> Depois, quero que você procure seus pais individualmente e faça a mesma pergunta para eles. Imagino que você e Brent almocem com eles um domingo por mês. Está correto?

Helen balançou a cabeça. E eu continuei:

— Então vocês dois já se expuseram consideravelmente na frente deles. Pergunte aos seus pais o que eles se lembram das as vezes em que viram você fazer ou dizer coisas que foram ásperas ou desafetuosas para Brent. Depois, quero que você procure os pais de Brent individualmente e faça a mesma coisa.

Helen estava visivelmente irritada:

— Não sei onde tudo isso vai acabar, tampouco sei por que preciso fazer tudo isso, já que as falhas de Brent é que são o verdadeiro problema em nosso casamento.

— Posso entender a razão de sua possível frustração com minha abordagem — eu disse. Todavia, devo lembrá-la de que estou me encontrando com Brent toda semana e estou designando a ele as mesmas tarefas. O casamento é uma rua de mão dupla. Nenhum de vocês é perfeito e cada um dos dois deve lidar com as próprias falhas. O primeiro passo é identificar essas falhas e assumir a responsabilidade por elas. Até o momento, nem você nem Brent fizeram isso. No entanto, parece-me que agora, pela primeira vez na vida de ambos, vocês dois estão levando muito a sério o desejo de lidar com as falhas do passado no casamento. E estamos seguindo um modelo bíblico que sugere que devemos começar com nossas próprias falhas.

Helen respirou fundo e disse:

— Eu sei. Você está certo. Temos de lidar com isso. Mas envolver as crianças, meus pais e os pais de Brent nisto... como algo assim pode ajudar?

— Eles são as pessoas que melhor conhecem vocês — eu disse. — E eles estão preocupados com este casamento. Ao fazerem isso, vocês estão demonstrando para seus filhos sua sinceridade e sua honestidade. E estão lhes dando a oportunidade de expressar o que eles viram nesses anos sobre o comportamento de ambos. Seus pais e os de Brent ficarão contentes em saber que você está tentando resolver o seu lado. E quando Brent fizer a tarefa dele, eles verão que ele está tentando resolver o lado dele. Deus pode usar esse processo não só para seu bem, mas também para o bem de seus pais, de seus filhos e dos parentes afins.

Pode haver objeções à ideia de consultar os filhos, os pais e os parentes afins. Por exemplo, filhos na pré-escola podem ser pequenos demais; pais ou parentes por afinidade sem estrutura podem ser obsessivamente prejudiciais e achar difícil ser objetivos. Por mais que você possa se sair bem em seu relacionamento, a questão é ampliar a perspectiva além de seu ponto de vista de se proteger a si mesmo. Muitas vezes, ouvir algo de um filho, de um pai ou de outro familiar próximo pode de fato abrir nossos olhos para a maneira pela qual estamos tratando nosso cônjuge.

O casamento não funciona isoladamente. Ele afeta todos os que têm uma relação próxima com o casal. Posso lhe garantir que, provavelmente, você ouvirá coisas de seus filhos e pais que não quer ouvir. Satanás dirá a você que se defenda, que o que eles estão dizendo não descreve realmente a situação como um todo. Ele quer que você não dê crédito ao testemunho deles. Não ceda à tentação. Eles lhe estão dando boas informações. É a percepção deles sobre o que observaram com relação à forma de você tratar seu cônjuge. Talvez essa não tenha sido sua intenção, mas foi assim que eles viram as coisas. Por isso, aceite o que eles dizem e ponha isso em sua lista.

Quando dei a Brent essa tarefa, eu disse:

— Vou lhe dar duas semanas para fazer isso, pois levará certo tempo.

— Tudo bem, mas também vai ser realmente difícil.

— Você está certo — concordei. — Nunca é fácil pedir àqueles que melhor nos conhecem que nos deem um retorno sincero sobre nossas falhas. É muito difícil, mas extremamente útil.

Antes de vencer o prazo, Helen ligou e pediu uma semana a mais. Quando tornou a aparecer, no entanto, ela havia feito toda a tarefa.

— Eu não sabia que meus filhos, meus pais e meus parentes afins haviam observado tanta coisa sobre meu comportamento. Fiquei impressionada com algumas coisas que eles disseram, e um pouco preocupada também. Mas me lembrei de você me desafiando a não ficar na defensiva, e foi o que fiz. Ouvi e escrevi, fiz uma lista bastante longa. Sinto-me mal por saber que meus filhos perceberam minha aspereza com Brent ao longo dos anos. Para mim, ele merecia. Mas sei que não foi bom para eles me ouvir falar com o pai da forma pela qual falei.

Eu podia dizer que Helen estava começando a identificar e a assumir a responsabilidade por suas falhas.

— Então o que vou fazer com esta lista? — ela perguntou. — Já pedi a Deus que me perdoasse.

— Ótimo — eu disse. — Mas não estamos bem preparados para isso. Há mais um passo. Quando começamos este processo, você me disse que o verdadeiro problema era Brent, e não você. Lembra-se? Não tenho razão para duvidar do que você disse. Por isso, nesta semana, quero que você faça uma lista de todas as formas pelas quais Brent a magoou nesses anos todos.

— O papel não será suficiente — ela disse, rindo e chorando ao mesmo tempo.

Balancei a cabeça e lhe dei incentivo:

— Sei que você ficou magoada com as ações de Brent ao longo dos anos. Se isso não fosse verdade, você não estaria em meu consultório à procura de aconselhamento. Por isso, quero lhe dar uma chance de compartilhar estas mágoas com Brent. Mas é da seguinte forma que quero que você as compartilhe.

Entreguei a ela uma folha de papel que trazia o seguinte parágrafo impresso no alto da página:

> Querido Brent,
>
> Quero agradecer-lhe o fato de se unir a mim para buscarmos aconselhamento para nosso casamento. Como você sabe, o dr. Chapman está nos ajudando a identificar e assumir a responsabilidade por nossas próprias falhas. Posso lhe garantir que tenho uma lista bem longa, por ora, das maneiras pelas quais desapontei você. Nesta semana foi-nos solicitado fazer uma lista

das mágoas que sentimos ao longo dos anos. Sei que muitas dessas mágoas você já ouviu antes porque tenho a tendência de trazê-las à tona toda vez que estamos em uma discussão. Estou escrevendo esta lista não porque odeio você, mas porque o amo. E quero que sejamos capazes de deixar o passado para trás para que possamos construir um futuro melhor. A primeira coisa que me vem à mente é...

Pedi a Helen que lesse o parágrafo e me dissesse se estava de acordo. Quando ela me deu uma resposta afirmativa, eu lhe disse:

— Agora, quero que você escreva a primeira frase bem aí onde está sentada. Qual é a primeira coisa que lhe vem à mente?

— Bem, cronologicamente, aconteceu quando ele se esqueceu de nosso primeiro aniversário de casamento. Mas o que mais doeu foi o fato de que ele tentou ter um caso com uma garota do escritório.

— E qual deles você quer colocar primeiro? — perguntei.

— Farei na ordem dos fatos.

— Tudo bem, é assim que quero que você comece. Você escreve enquanto falo. Primeiro: "Eu me senti...". Como você descreveria seus sentimentos quando ele se esqueceu do primeiro aniversário de casamento?

Helen ficou sentada por um instante antes de começar a escrever. Quando ela terminou, li esta frase: "Eu me senti frustrada e profundamente magoada em nosso primeiro aniversário de casamento. Esse dia chegou e se foi e você nunca o mencionou. Continuo a pensar que você me surpreenderia com alguma coisa, mas nunca fez isso. Como você pode se lembrar, acabamos discutindo metade da noite. Sei que eu disse coisas horríveis naquela noite, mas eram fruto de minha profunda mágoa. Eu não podia acreditar que você havia se esquecido do dia em que nos casamos".

Em seguida, continuei a orientá-la:

— Agora, quero que você comece cada frase com as palavras *Eu me senti* e descreva seus sentimentos quando Brent fez ou disse alguma coisa, ou deixou de fazer ou dizer algo, que a magoou. Não lhe faça um sermão. Apenas lhe diga como você se sentiu com relação ao ocorrido. Você pode listar tudo que lembrar. Não é preciso estar em ordem cronológica, mas quero que a lista seja a mais ampla possível.

— Isso pode levar um bom tempo — Helen disse, rindo.

— Ótimo — respondi. — Quantas semanas você quer?

— Acho que duas serão suficientes.

— Tudo bem, então eu a vejo daqui a duas semanas.

Duas semanas depois, li toda a lista de 35 experiências dolorosas de Helen. Ajudei-a a reescrever duas delas porque ela havia começado a frase com *Você fez com que eu me sentisse*, em vez de *Eu me senti*. Lembrei Helen de nosso objetivo, o qual não era condenar Brent, pelo contrário, alertá-lo para os sentimentos dela. Ela salvara uma cópia da lista em seu computador, por isso as revisões não eram uma tarefa importante. No dia seguinte, ela apareceu com a lista corrigida em meu consultório.

Na semana seguinte, entreguei a lista de Helen para Brent e a lista de Brent para Helen.

— Leiam a lista como *informações que vêm do coração de seu cônjuge* — desafiei os dois. — Quero que vocês sintam o que seu cônjuge estava *sentindo* quando esses eventos ocorreram. Imagino que a intenção de ambos não era magoar um ao outro, mas de fato acabaram passando por muita dor. Ao lidar com o passado, quero que vocês dois se conscientizem de como suas ações magoaram a outra pessoa. E quero que assumam a responsabilidade por essa dor. Mais uma vez, não quero dizer que vocês pretendiam magoar seu cônjuge, mas a realidade é que ele foi profundamente afetado por seu comportamento.

Depois disso, enfatizei:

— Ao lerem toda a lista que cada cônjuge entregou ao outro, examinem a lista que vocês fizeram das próprias falhas para ver se todas as mágoas de seu cônjuge estão incluídas na lista. Se não estiverem, quero que vocês as acrescentem.

O processo de identificar as falhas do passado requer tempo e esforço. Também pode ser doloroso. No entanto, não podemos lidar com as falhas do passado a menos que saibamos quais são elas. Envolver os familiares no processo ajuda-nos a ver o que os outros observaram com relação ao nosso comportamento. Raramente nos enxergamos como os outros nos enxergam. Escrever no papel nossa própria dor das experiências do passado ajuda-nos a identificar a razão de estarmos tão magoados e irritados. Compartilhar isso com seu cônjuge na forma escrita torna mais fácil para ele sentir nossa dor e não ficar na defensiva.

Passo nº 2: Confissão e arrependimento

Uma vez que Brent e Helen trocaram entre si as listas de mágoas e corrigiram a própria lista de falhas de ambos, eles ficaram prontos para dar o segundo passo na estratégia de lidar com as falhas do passado: confissão e arrependimento, primeiro a Deus e depois um ao outro. Incentivei cada um deles a reservar duas horas para ficar a sós com Deus, ler a Bíblia e examinar sua lista. "Comecem pela leitura do salmo 51", sugeri. "Esta é a confissão de Davi depois de ser confrontado pelo profeta Natã e perceber como sua falha para com Deus e os outros havia sido terrível. Que a oração de Davi seja um modelo para a própria oração de vocês. Quero que examinem sua lista e confessem cada item a Deus".

A palavra *confissão* significa "concordar com". Portanto, ao confessar suas falhas e admitir ter magoado seu cônjuge, você está concordando com Deus que você errou. Está concordando que seu comportamento causou dor no cônjuge e entristeceu o coração de Deus. *Arrependimento* significa "virar e andar na direção oposta". Ao arrepender-se de suas falhas e da dor que causou ao cônjuge, você está expressando para Deus seu desejo de ter uma conduta diferente no futuro. Está pedindo que o poder do Espírito Santo lhe permita amar seu cônjuge como Deus intenta.

As Sagradas Escrituras dizem: "Se confessarmos os nossos pecados [a Deus], ele é fiel e justo para nos perdoar os pecados e nos purificar de toda injustiça" (1Jo 1:9). Quando confessamos nossos pecados e nos arrependemos, Deus se dispõe plenamente a nos perdoar. E ele pode perdoar-nos porque Cristo foi castigado pelo nosso pecado. Portanto, Deus pode manter a justiça, mas ainda perdoar o pecado, porque Cristo já pagou o preço (v. Rm 5:8-11).

Tendo confessado a Deus e se arrependido, Brent e Helen, então, deveriam fazer o mesmo um com o outro. "Na semana que vem", eu disse, "passem duas horas um com o outro examinando a lista de suas próprias falhas. Reconheçam um para o outro, linha por linha, que vocês erraram e lamentam ter magoado um ao outro de modo tão profundo. E depois peçam perdão." Além disso, eu os adverti: "Não leiam a lista às pressas. Passem um tempo em cada item. Deixem seu cônjuge ouvi-lo verbalizar, cada um dizendo que errou e se sente mal por ter magoado tão profundamente um ao outro".

A segunda instrução que dei a Helen e Brent foi esta:

> Não julguem a sinceridade da outra pessoa. Temos personalidades diferentes. Algumas pessoas, por exemplo, choram mais prontamente do que outras. Não esperem que seu cônjuge tenha a mesma linguagem corporal que você. Ele pode ser mais impassível, mas também sincero. Optem por aceitar as palavras do cônjuge como uma confissão e um pedido de desculpa franco e sincero. Expressem a intenção de que, com a ajuda de Deus, vocês esperam fazer as coisas melhorar no futuro.

Passo nº 3: Perdão

Agora Brent e Helen estavam prontos para o verdadeiro perdão. Nas Sagradas Escrituras, o perdão é sempre uma resposta cristã à confissão e ao arrependimento. Jesus disse: "Se teu irmão pecar contra ti, repreende-o; se ele se arrepender, perdoa-lhe" (Lc 17:3). Na vida cristã não há lugar para um espírito irreconciliável. Na verdade, Jesus ensinou que um espírito rancoroso consiste em rebelião contra Deus e deve ser confessado como pecado.[1]

Eu disse para Brent e Helen: "Lembrem que o perdão não é um sentimento. É uma decisão que consiste em revogar o castigo pelas falhas do passado e declarar que seu cônjuge está perdoado. O perdão não significa que você nunca mais pensará no que aconteceu, tampouco significa que você jamais sentirá a dor que acompanha a lembrança. O perdão significa que você não mais guardará aquela falha ou mágoa contra seu cônjuge. Como diz 1Coríntios 13:5, o amor 'não se ressente do mal'".

[1]Comentários baseados no que Jesus diz sobre perdão em Mateus 6:14,15; 18:35.

O perdão significa que não trazemos à tona as falhas do passado. Quer dizer que reconhecemos que Cristo já foi castigado por nossos pecados. Quando confessamos e nos arrependemos diante de Deus e diante um do outro — e Deus nos perdoa —, optamos por perdoar-nos uns aos outros.

A estratégia de lidar com as falhas do passado aplica-se a todas as quatro estações do casamento, pois todos nós temos falhas que precisam ser confessadas e perdoadas. Os casais na estação do inverno ou outono talvez tenham grandes reservas de falhas do passado que nunca foram tratadas. Os casais na estação da primavera ou verão precisarão lidar com as falhas que ocorrerem como parte do curso normal da vida, e não deixar que tais falhas sejam guardadas e se tornem um obstáculo à intimidade.

A ideia de lidar com as falhas do passado pode causar pânico em alguns indivíduos. Lembro-me do que disse um marido: "Ela nunca mencionou nada em seis meses; espero que tenha se esquecido. É óbvio que não quero trazer isso à tona novamente". O fato de ele estar com medo de trazer o assunto à baila mostrava que a questão nunca havia sido plenamente confessada e perdoada. Quer a esposa mencione o assunto novamente quer não, essa questão é uma daquelas vespas subterrâneas que provavelmente saem e picam o marido.

Sei que lidar com as falhas do passado será tarefa realmente difícil para algumas pessoas. Contudo, os benefícios da identificação, da confissão, do arrependimento e do perdão são tão grandes que o esforço valerá a pena. Se você ficou emperrado aqui, considere estes três benefícios:

1. Você não mais terá medo do passado porque confessou suas falhas e foi perdoado.

2. O relacionamento conjugal será aprofundado quando você e seu cônjuge experimentarem a verdadeira confissão, arrependimento e perdão. O perdão torna possível a restauração de seu relacionamento conjugal.
3. Ao perdoar aos outros, você passa a se parecer mais com Cristo. Em outras palavras, lidar com as falhas do passado é um grande passo em direção à maturidade cristã.

Brent e Helen seguiram a Estratégia nº 1, um passo importante na passagem deles do inverno para a primavera no casamento. Na verdade, para ambos a primavera voltou quase que de imediato, e eles começaram a planejar um futuro novo. Eu os alertei, é claro, para o fato de que os dois ainda não eram perfeitos, e um deles poderia voltar aos velhos padrões e trazer à tona uma falha do passado no calor da raiva. "Mas quando isso acontecer", eu disse, "reconheçam-no como um comportamento pecaminoso, confessem-no a Deus e ao seu cônjuge o mais rápido possível e peçam perdão."

Muitas vezes as pessoas me perguntaram: "O que acontecerá se meu cônjuge não estiver disposto a seguir uma estratégia como a de lidar com o passado?". Vou responderei a essa pergunta mais detalhadamente na Estratégia nº 7, mas em poucas palavras devo dizer aqui que, com seu próprio comportamento, você pode influenciar o cônjuge. Quando você optar por seguir uma estratégia bíblica, terá uma influência positiva sobre seu cônjuge. Você não pode controlar o comportamento dele, mas pode — e deve — influenciá-lo muito por meio de sua própria conduta. Seguir estratégias bíblicas é a forma mais eficaz de influenciar um cônjuge não participativo.

ESTRATÉGIA Nº 2

Escolha uma atitude de sucesso

A maioria dos atletas concordaria que a vitória consiste em 90% de atitude e 10% de muito suor. Se isso se aplica ao mundo dos esportes, é claro que também vale para o mundo dos relacionamentos. Casamentos na primavera e no verão são criados e sustentados por atitudes positivas. Casamentos no outono e no inverno caracterizam-se por atitudes negativas. Aquilo em que muito *pensamos* influencia o que *fazemos*. Por sua vez, nossas ações influenciam muito nossas emoções. Essa ligação entre atitude e ações abre uma porta de esperança para todos os casais. Se pudermos transformar nosso modo de pensar, poderemos mudar a estação de nosso casamento.

O erro mais comum cometido pelos casais é permitir que as emoções negativas ditem seu comportamento. Ao deixarem de reconhecer o poder de uma atitude positiva, eles não atingem o maior potencial do casamento.

Há muito reconhecemos o poder de uma atitude positiva no ramo dos negócios. Considere as atitudes de dois vendedores diferentes. Um deles pensa: *Estas pessoas precisam de um aspirador de pó. Tenho o melhor do mercado e, se puder mostrá-lo para elas, sei que vão querê-lo. Além disso, posso ajudá-las a encontrar uma forma de adquiri-lo.* O outro pensa: *Estas pessoas não se interessariam em comprar um aspirador de pó. Elas têm tantas outras coisas em mente. Além disso, elas não teriam condições de comprar um aspirador se o quisessem.* Qual vendedor tem mais chances de ter êxito? Neste capítulo, quero ajudá-lo a desenvolver seu potencial de pensar positivamente, o que o levará a um maior sucesso conjugal.

Devo confessar que aprendi a presente estratégia do modo difícil. Logo no início de meu casamento, passei um tempo considerável na estação do inverno por causa de minhas atitudes negativas. E quando estava no meio do inverno, achava difícil admitir que minha atitude fazia parte do problema. Era muito mais fácil culpar o comportamento de Karolyn pelo fracasso de nosso casamento. Hoje, de pronto admito que o culpado era meu pensamento negativo. Se você está na estação do outono ou do inverno no casamento, penso que também você tem a tendência de culpar seu cônjuge sem reconhecer as próprias atitudes negativas. Se você quiser se libertar da frieza e da amargura do inverno, eu o desafio a devorar a verdade apresentada neste capítulo. Mudar de atitude pode ser um elemento motivador que dará andamento à mudança sazonal de seu casamento.

As circunstâncias são em si neutras — ou pelo menos comuns. Portanto, não é o que nos acontece, mas como *interpretamos* o que nos acontece (nossa atitude), que faz a diferença entre sucesso e fracasso. Permita-me mostrar a você a diferença na vida de dois casais: Betsy e Kirk, e Charles e Kelly.

Quando estavam casados havia doze anos, Betsy e Kirk passaram pela experiência da morte de seu filho de nove anos de idade. Ele teve morte instantânea ao ser atropelado por um carro, enquanto saía com a bicicleta da garagem e atravessava a rua. Na primeira conversa com Betsy, que aconteceu em menos de seis horas após o acidente, descobri as sementes da culpa. Ela disse: "Falei para Kirk na semana passada que ele precisava passar mais tempo com Andrew, conversando com ele sobre como andar de bicicleta com segurança. Se Kirk tivesse falado com ele, talvez isso não tivesse acontecido".

Mais tarde, ao conversar com Kirk, percebi uma atitude semelhante. "Nunca gostei deste lugar", ele disse. "Falei para Betsy dois anos atrás que eu gostaria que fôssemos para uma pequena fazenda. Não gosto de criar filhos na cidade. É perigoso demais. Eu gostaria de ter ouvido meu coração." Dois meses depois, em outra conversa, vi Kirk fazendo o mesmo discurso novamente. "Eu só gostaria que tivéssemos nos mudado para a fazenda dois anos atrás. Betsy resistiu à ideia. Ela disse que era muito mais cômodo viver na cidade, mas a questão tem mais a ver com vida do que com comodidade."

Na semana seguinte, encontrei-me com Betsy e descobri que ela também ensaiava a mesma mensagem na mente havia dois meses. "Se Kirk tivesse conversado com Andrew sobre regras de segurança, talvez nosso filho ainda estivesse com a gente." Betsy estava culpando Kirk, e Kirk estava culpando Betsy. Eles não haviam dito essas palavras diretamente um para o outro, mas as atitudes de ambos revelavam a verdade.

Gostaria de poder dizer que, por meio do aconselhamento, Kirk e Betsy mudaram de atitude e encontraram consolo e esperança. Mas na verdade, em menos de um ano, eles se separaram e logo depois se divorciaram, gerando mais dor para os outros dois filhos, de cinco e sete anos de idade. Atitudes negativas levam a um comportamento negativo, que termina em amargura e divórcio.

O casal Charles e Kelly passou por uma tragédia muito parecida, mas com resultados bem diferentes. Andrea, a filha de sete anos deles, afogou-se na piscina do quintal enquanto os pais estavam dentro de casa. Charles e Kelly iam nadar com Andrea, mas ela pulou na piscina antes de eles chegarem. "Ela nadava bem", conta Kelly, "e nunca ia para a piscina sem que estivéssemos por perto. Essa era uma de nossas regras. Não sei o que aconteceu."

Fiz várias sessões com Kelly e Charles durante os seis meses seguintes. Não houve sequer uma vez em que os ouvi culpar um ao outro, tampouco houve sequer uma vez em que eles culparam Andrea. "Ela só estava em seu papel de criança", comentou Kelly, com lágrimas rolando pelo rosto. "Não há necessidade de culpá-la por ter violado nossa regra informal. Isso não a trará de volta." Muito tristes, Charles e Kelly contaram como ambos estavam suportando a dor, deram um ao outro a liberdade para chorar, abraçaram-se com carinho e sobreviveram à dura experiência com um casamento ainda mais fortalecido.

"Temos um bom casamento", disse Charles. "No entanto, a perda de Andrea aproximou-nos ainda mais. Sabemos que não podemos trazê-la de volta, mas vamos poder ir para o lado dela. Queremos ser bons pais para nosso filho e depositamos o futuro nas mãos de Deus."

Nos anos que se passaram desde a morte de Andrea, Charles e Kelly continuaram a levar uma vida produtiva e cheia de frutos. Deus deu ao casal outros dois filhos, a quem eles estão criando em um lar muito atencioso.

A diferença entre os dois casais era, basicamente, uma diferença de atitude. Tanto um quanto o outro estavam profundamente amargurados; os dois casais sofreram uma trágica perda. Um casal optou por uma atitude de culpa, enquanto o outro escolheu uma atitude de aceitação e apoio. A atitude fez toda a diferença. "Deus nos deu Andrea, e nós a tivemos por sete anos maravilhosos", lembra Charles. "Ela nos deu uma grande alegria e agora está na presença de Deus. Ela amou Jesus. Nós a amamos e sabemos que, um dia, a veremos novamente. Sabemos que ela não gostaria de nos ver por aí sentados e sofrendo por sua morte pelos vinte anos seguintes. Visto que Deus nos tem dado vida, queremos ser fiéis em nossa atitude de amar e cuidar de nossos outros filhos e de servir a Deus." Enquanto Charles tentava resumir a atitude do casal, Kelly balançava a cabeça em sinal de concordância. Juntos, eles estavam demonstrando o poder de uma atitude positiva em meio à tragédia.

Uma visão de mundo cristã — isto é, uma perspectiva bíblica sobre a vida — faz com que seja muito mais fácil para os casais ter uma atitude mental positiva. Talvez você esteja perguntando: "Qual é esta 'visão de mundo cristã' que cria tal atitude positiva?". Em resposta, posso mencionar algumas características.

Características de uma visão de mundo cristã
Todo ser humano foi criado à imagem de Deus e é, portanto, extremamente precioso.
Cada pessoa recebe, de modo ímpar, dons de Deus (inclusive os desafios mentais e físicos).
Cada pessoa tem um papel único a desempenhar na vida.
O casamento é uma ideia de Deus. Homem e mulher têm por objetivo completarem-se um ao outro.
O propósito do casamento é glorificar a Deus, servindo ao cônjuge e ajudando-o a alcançar seu potencial dado por Deus.

Primeiro, é o reconhecimento de que todo ser humano foi criado à imagem de Deus e é, portanto, extremamente precioso. Segundo, cada pessoa recebe, de modo ímpar, dons de Deus (inclusive os desafios mentais e físicos). Terceiro, cada pessoa tem um papel único a desempenhar na vida. Quarto, o casamento é uma ideia de Deus. Assim, homem e mulher foram exclusivamente criados para trabalhar juntos como uma equipe. Cada qual tem pontos fortes e pontos fracos. Cada qual é chamado para completar um ao outro. Se aprenderem a fazer isso, ambos irão além do que conseguiriam como indivíduos. Quinto, o propósito do casamento é que marido e esposa, voluntariamente, sirvam um ao outro, ajudando-se mutuamente a alcançar seu potencial dado por Deus e promovendo o bem no mundo. Quando reflito nessas cinco verdades, sou levado a ter uma atitude positiva para com Karolyn, minha esposa. Minha atitude não se baseia no comportamento dela, mas em minhas convicções sobre quem ela é e o meu papel na vida dela.

Lembrando as várias estações de inverno de meu casamento, percebo que naqueles momentos não demonstrei uma atitude de consideração positiva por Karolyn; em vez disso, concentrei-me no que eu considerava serem os pontos fracos dela. Magoado e irritado com as coisas que ela dizia ou deixava de dizer, chateado com as coisas que ela fazia ou não conseguia fazer, eu me via com os piores pensamentos a respeito dela e, mentalmente, culpando-a por nosso lastimável relacionamento.

Em meu exercício como conselheiro, desde então descobri quão frequente é esse padrão destrutivo de pensamento. Um exemplo é Marilyn, de Kansas City, que está casada com

Bruce há 29 anos. Ela mostrou que estava definitivamente em um casamento no inverno.

— Não me sinto amada e estou nervosa — ela disse.

— Como vocês chegaram a esta estação do casamento? — perguntei.

— Chegamos aqui por causa do trabalho de meu marido. Em determinadas épocas do ano, o trabalho dele é exigente e requer muitas horas. Por isso ele fica fora de casa na maior parte do dia. Durante esses momentos, assumo o papel de chefe da casa, cuidando dos meninos e das finanças. Além disso, ele fica distante e não conversamos muito. Isso aconteceu muitas vezes em nossos 29 anos de casamento, e eu gostaria de pôr fim a esse ciclo.

A boa notícia é que Marilyn pode pôr fim ao ciclo. Começa com uma mudança de atitude para com o marido. É óbvio que ele é um homem trabalhador, "que leva o pão para casa". E, conforme o próprio testemunho de Marilyn, seu marido jamais foi sexualmente infiel a ela. Essas são características admiráveis. Mas Bruce, é evidente, não tem suprido a necessidade emocional de amor e companheirismo de Marilyn. É por isso que ela acha que o casamento está na estação de inverno.

Sem perceber, Marilyn está prejudicando seu casamento com uma atitude negativa. Permitiu que as emoções da mágoa, a raiva e os sentimentos de negligência controlassem seu comportamento para com Bruce. Ela critica verbalmente o marido e o tempo que ele passa no trabalho, muitas vezes dizendo coisas do tipo: "Você deixa a empresa se aproveitar de você. Você não ganha dinheiro extra pelas horas que investe. Você deve exigir um salário maior". Em outras ocasiões, ela se concentra na desatenção do marido para com os filhos: "Como você espera ter uma influência positiva sobre nossos filhos se não passa nenhum tempo com eles?". O fato de Bruce jogar futebol com os meninos todo domingo à tarde e, às vezes, levá-los com ele em viagens de negócios era ignorado nas investidas verbais de Marilyn.

A atitude de Bruce também era afetada. "Nunca faço nada certo", ele disse. "Independentemente do que eu faça, nunca é suficiente, por isso deixei de tentar agradar a minha mulher. Eu a deixo falando sozinha quando ela começa os longos discursos. Eu só queria que os meninos não tivessem de viver em um lar tão negativo." Bruce também está se concentrando nos pontos fracos de Marilyn e ignorando os pontos fortes dela. As horas que ela passa cuidando da casa e ajudando os meninos com a lição de casa estão no subconsciente de Bruce, mas o que prende a atenção e controla os pensamentos dele é seu foco nos sermões inflamados de Marilyn. Tudo isso poderia mudar se Bruce e Marilyn optassem por uma atitude de sucesso. No momento, eles continuam a perpetuar a estação de inverno no casamento por meio dos pensamentos negativos que têm um pelo outro.

Quebrando o ciclo da negatividade

O que envolve a escolha de uma atitude de sucesso? Primeiro, devemos reconhecer nossos pensamentos negativos. A maioria de nós tem a tendência de racionalizar e justificar as atitudes negativas. Dizemos: "Como você espera que eu reaja quando sou tratado desta forma?". Ou, como disse uma mulher enquanto apontava o dedo para o marido em meu consultório: "Sim, tenho uma atitude negativa, e há uma razão para isso. Ela está sentada bem aí".

Uma vez que racionalizamos nossas atitudes negativas como legítimas, elas nunca mudam. Se, no entanto, estivermos cansados do inverno e quisermos sentir novamente a esperança da estação da primavera, teremos de reconhecer a necessidade de mudar nossos pensamentos negativos. Nosso modo de pensar controla nosso comportamento. Se pensarmos negativamente, nossas condutas serão destrutivas. Todavia, se pensarmos positivamente, nossas ações serão positivas também.

O segundo passo para se ter uma atitude de sucesso é identificar as características positivas de seu cônjuge. Sugiro que você escreva uma lista. Peça a Deus que lhe traga à mente todas as coisas positivas com relação ao cônjuge, e depois as escreva. Peça ajuda aos seus filhos, dizendo algo do tipo: "Estou me esforçando para mudar minha atitude para com o pai (ou a mãe) de vocês e estou tentando identificar algumas características positivas dele (dela). Vocês diriam para mim as coisas de que gostam em seu pai (sua mãe), as coisas que apreciam e admiram? Quero fazer uma lista". Você não só terá um bom retorno de seus filhos, mas também influenciará o modo de pensar deles para que esteja voltado para uma direção positiva. Se seu cônjuge abusou física ou verbalmente dos filhos, você pode começar seu pedido com as seguintes palavras: "Sei que vocês estão magoados com o papai (a mamãe) em vários sentidos. Mas estou tentando mudar minha atitude e dar-lhe crédito pelas contribuições positivas que ele (ela) faz para nossa vida. Preciso que vocês me ajudem".

Com a ajuda de Deus (e de seus filhos), provavelmente você fará uma lista bem longa das características positivas de seu cônjuge. No entanto, mesmo que a lista seja curta, pelo menos você tem algo positivo em que se concentrar.

Uma senhora disse o seguinte sobre o marido dela: "Tenho de dizer que ele assobia muito bem. Algumas vezes isso me irrita, mas nunca ouvi ninguém assobiar melhor do que ele. Acho que ele cresceu ouvindo músicas do gênero, pois é isso que ele faz o tempo todo".

O terceiro passo é *concentrar-se* nessas características positivas. Comece demonstrando gratidão a Deus por elas. Se você estiver muito magoado e quiser contar as mágoas para Deus antes de agradecer, isso é admissível. Sua oração pode ser algo do tipo: "Querido Deus, tu sabes como meu marido [minha esposa] me trata. Tu conheces a dor, a mágoa e a raiva que sinto. Mas agradeço a ti o fato de ele [ela] não ser tão ruim. Eis as coisas pelas quais quero agradecer. Sou grato (grata) a ti por ele [ela]...".

Examine sua lista todos os dias, agradecendo a Deus as características positivas de seu cônjuge. Peça a Deus que dirija seu pensamento para as coisas positivas. Diga para seu cônjuge que você está cansado das mensagens negativas e críticas com relação a ele (ou ela); reconheça que aqueles sermões negativos não têm ajudado na situação e você pretende parar com isso.

O quarto passo é pedir a Deus que lhe dê uma perspectiva bíblica acerca de seu cônjuge. Reveja as cinco características de uma visão cristã de mundo na página 113 e comece a agradecer a Deus essas cinco verdades. Peça a Deus que lhe dê uma atitude nova e positiva. Agradeça a Deus o dom de seu cônjuge ter sido criado à imagem de Deus e ser, portanto, extremamente precioso. Agradeça a Deus o fato de seu cônjuge ter recebido, de modo ímpar, dons de Deus. Agradeça a Deus a chance de seu cônjuge ter um papel único a desempenhar no reino de Deus. Agradeça a Deus o casamento ter sido ideia dele e reconheça que ele lhe deu seu casamento como uma bênção, e não como uma maldição. Agradeça a Deus a oportunidade que você tem de servir ao seu cônjuge e de ajudá-lo a subir mais um degrau em seu potencial no reino de Deus.

Comece a expressar verbalmente seu apreço ao cônjuge pelas coisas positivas que você vê. Estabeleça uma meta; por exemplo, um elogio por semana no primeiro mês, depois dois elogios por semana no segundo mês, em seguida três elogios por semana no terceiro mês, e assim por diante, até você chegar a, pelo menos, um elogio por dia. Nas sábias palavras da Bíblia lemos: "A morte e a vida estão no poder da língua" (Pv 18:21). Você pode dar uma nova vida ao seu casamento quando começar a expressar verbalmente o apreço por seu cônjuge. Quando você substituir as palavras de censura e de crítica por palavras de afirmação, algo no íntimo de seu cônjuge começará a se encher de afeto por você. No devido tempo, ele começará a pensar em você de forma mais positiva e, por consequência, um comportamento mais positivo logo surgirá. Isso não é manipulação; simplesmente é o resultado natural de se sentir apreciado.

Quebrando o ciclo da negatividade
Reconheça seu modo de pensar negativo. Identifique e liste as características positivas de seu cônjuge. Eduque-se para se concentrar nas características positivas de seu cônjuge. Peça a Deus que lhe dê uma perspectiva bíblica acerca de seu cônjuge. Expresse verbalmente o apreço por seu cônjuge.

Posso ouvir os leitores dizer: "Mas e o comportamento negativo de meu cônjuge? Minha atitude não vai mudar isso". Talvez não imediatamente, mas uma atitude positiva de sua parte dará andamento à dinâmica relacional que gera um ambiente no qual o comportamento de seu cônjuge pode mudar para melhor. Em simples palavras, uma atitude positiva expressa em afirmações positivas tende a criar uma resposta positiva. O gelo do inverno começa a derreter e a esperança da primavera nasce. Isso não é psicologia avançada nem teologia profunda. É simplesmente bom-senso. Escolha uma atitude de sucesso e, então, você terá mais chances de vencer. Diga para si mesmo que você é capaz de ser um cônjuge melhor e você passará a ser. Diga para si mesmo que seu cônjuge pode fazer mudanças positivas e ele o fará. Diga para si mesmo que, com a ajuda de Deus, você verá a primavera novamente, e isso será o que você terá mais chances de ver.

A opção de adotar uma atitude de sucesso é algo que funciona em todas as quatro estações do casamento. Se seu relacionamento conjugal está no inverno, tal escolha pode pôr você na estrada rumo à primavera. Em um casamento no outono, optar por concentrar-se nas qualidades positivas de seu cônjuge pode reabrir as linhas de comunicação e impedir seu casamento de desvanecer no inverno. Em um casamento na primavera ou no verão, adotar uma atitude positiva resultará em mais flores no relacionamento e ajudará a estabelecer um clima mais cálido dentro do casamento.

Outra forma de trazer a primavera e o verão para seu casamento está descrita na Estratégia nº 3.

ESTRATÉGIA Nº 3

Aprenda a falar a linguagem de amor de seu cônjuge

Eu estava na fila do caixa de uma quitanda certo dia quando olhei de relance para uma prateleira de revistas. Das vinte revistas diferentes expostas ali, dezessete tinham a palavra *amor* pelo menos uma vez na capa. Mais tarde, em um sábado à noite, enquanto eu voltava do aeroporto para casa com o rádio do carro sintonizado na estação local de música *country* (não há nada como uma música *country* para mantê-lo acordado quando se está dirigindo tarde da noite), o apresentador estava tocando as doze melhores sem intervalo comercial. Das doze músicas, dez se concentravam no amor.

Se você assistir às novelas do dia ou aos programas de televisão do horário nobre ou verificar as estatísticas de vendas de romances, terá toda a evidência de que precisa para constatar que a cultura ocidental é obcecada por amor. Contudo, a despeito de todo o discurso sobre o amor, na verdade, milhares de crianças vão para a cama toda noite com a sensação de que não são amadas pelos pais, e milhares de maridos e esposas vão para a cama não se sentindo amados pelo cônjuge. Nossa cultura desconhece, basicamente, a verdadeira natureza do amor e seu efeito sobre os relacionamentos humanos. Todavia, nada é mais capaz de mudar a estação de seu casamento do que aprender a verdade sobre o amor.

Parte do problema é que usamos a palavra *amor* de modo muito vago. Ouça qualquer conversa na rua e você provavelmente ouvirá afirmações do tipo: "Amo cachorro-quente", "Amo praia", "Amo meu bebê", "Amo as montanhas", "Eu simplesmente amo meu novo carro esporte", "Amo minha mãe", "Amo meu cachorro", "Amo o zoológico". Causa algum espanto, então, o fato de que, quando o marido diz para a esposa: "Amo você, querida", ela não sabe o que fazer com a declaração dele?

Neste capítulo não vou desafiar o emprego casual da palavra *amor* em nossa sociedade. Em vez disso, vou concentrar-me na importância do amor como necessidade humana essencial. Quer sejamos instruídos, quer ignorantes, sabemos por instinto que as crianças precisam sentir-se amadas. Gosto de descrever cada criança como alguém que tem um tanque emocional de amor. Quando o tanque de amor está cheio — ou seja, quando a criança realmente se sente amada pelos pais — a criança cresce normal e bem ajustada. Porém, quando o tanque de amor está vazio, a criança cresce com muitos conflitos internos. Nos anos da adolescência, essas crianças partirão à procura de amor, geralmente em todos os lugares errados. Grande parte do comportamento impróprio envolvendo crianças e adolescentes é fruto de um tanque de amor vazio.

O mesmo se aplica aos adultos. Casado ou solteiro, todo adulto tem um tanque emocional de amor. Quando nos sentimos amados por pessoas importantes para nós, a vida é bela. Quando nosso tanque de amor está vazio, temos conflitos emocionais. Boa parte do comportamento impróprio entre os adultos provém de um tanque de amor vazio.

Para nós, casados, a pessoa a quem mais gostaríamos de amar é nosso cônjuge. Se nos sentimos amados pelo cônjuge, o mundo parece cor-de-rosa. Mas se nosso tanque de amor estiver vazio, então, o mundo começa a parecer muito escuro. O sucesso no trabalho, na educação ou nos esportes não satisfará o desejo do coração humano por amor emocional. Quando o amor emocional desaparece, os casamentos caem no outono e depois no inverno. Em contrapartida, quando o amor emocional é reacendido, as brisas frescas da primavera e do verão voltam ao casamento. Neste capítulo quero concentrar-me na natureza do amor emocional, já que ela se relaciona com o casamento. O que você está prestes a ler tem a capacidade de mudar o clima emocional de seu casamento.

Tudo começa com "as palpitações". No curso normal da vida, conhecemos uma pessoa que atrai nossa atenção. Existe algo no olhar dela e no modo de ela falar ou agir que nos dá lá dentro uma ardente palpitação. São as palpitações que motivam as pessoas a sair umas com as outras. Às vezes, no primeiro encontro, perdemos as palpitações. Descobrimos algo insuportável na outra pessoa, e as palpitações desaparecem. Mas, com certas pessoas, toda vez que estamos juntos, as palpitações ficam cada vez mais fortes. Por fim, nós nos vemos emocionalmente obcecados. Temos plena certeza de que aquela é a pessoa mais maravilhosa que já conhecemos. Todos os outros verão os defeitos, menos nós. Nossos pais talvez digam: "Você já pensou que ele não tem um emprego fixo há cinco anos?". Contudo, respondemos: "Dê um tempo para ele. Ele só está esperando a oportunidade certa". Nossos amigos talvez digam: "Você considerou o fato de que ela já foi casada cinco vezes?". Mas nossa resposta será: "Todos aqueles eram sujeitos derrotados. A mulher merece ser feliz, e eu vou fazê-la feliz".

Esse estágio de um relacionamento romântico pode ser mais bem descrito como obsessão emocional. Não conseguimos tirar a outra pessoa da cabeça. Vamos para a cama pensando nela e acordamos pensando nela. O dia todo nós nos perguntamos o que ela estará fazendo. Conversar com ela é o momento mais importante de nosso dia, e nosso desejo é passar o maior tempo possível com ela. Tal obsessão leva a pensamentos irracionais do tipo: *Nunca serei feliz a menos que fiquemos juntos para sempre. Nada mais na vida realmente importa.* Nesse estágio do amor, as diferenças são minimizadas ou negadas. Tudo o que sabemos é que estamos felizes, nunca nos sentimos tão felizes e pretendemos ser felizes pelo resto de nossa vida.

Essa fase eufórica do amor não requer muito esforço. Somos levados por um rio de emoções positivas. Nós nos dispomos a fazer quase qualquer coisa pelo bem da outra pessoa. É durante esse período de obsessão emocional que a maioria das pessoas se casa. Elas esperam manter para sempre esses sentimentos de arrebatamento uma pela outra. Não entendem que a obsessão emocional corresponde apenas ao estágio inicial do amor romântico.

Pesquisas mostram que a duração média dessa euforia inicial é de dois anos.[1] Quando saímos do êxtase emocional, devemos fazer a transição para o próximo estágio do amor, que é muito mais intencional e requer um esforço consciente

[1]Dorothy TENNOV, *Love and limerance*, Nova York, Stein and Day, 1979, p. 142.

para suprir as necessidades da outra pessoa. Muitos casais não conseguem fazer essa transição. Em vez disso, eles se interessam por outra pessoa, divorciam-se e voltam a se casar, repetindo o ciclo com outro cônjuge. Dos que se casam pela segunda vez, 60% passarão pela experiência de um segundo divórcio. E se acaso eles tentarem novamente, o índice de divórcio para o terceiro casamento é de 75%.

A importância de aprender a fazer a transição do estágio obsessivo para o estágio intencional do amor deve ser visível. O simples fato de ficarmos em um relacionamento não significa que o amor emocional continuará a fluir. O segundo estágio do amor é realmente diferente do primeiro. Os sentimentos obsessivos que tínhamos um pelo outro começam a desaparecer, e reconhecemos outras buscas importantes na vida além de procurarmos um ao outro. As ilusões da perfeição desaparecem, e as palavras de nossos pais e amigos voltam a nossa mente: "Ele não tem um emprego fixo há cinco anos", "Ela já foi casada cinco vezes".

Começamos a nos perguntar como pudemos ser tão cegos para a realidade. As diferenças de personalidade, como também os interesses e o modo de vida, agora ficam claras, ao passo que antes dificilmente as percebíamos. A euforia que nos levou a pôr um ao outro em primeiro lugar e a nos concentrar no bem-estar um do outro, agora, desapareceu. Então, começamos a nos concentrar e a perceber que nosso cônjuge não está mais suprindo nossas necessidades. Começamos a pedir — e depois a exigir — coisas do cônjuge, e quando ele se recusa a atender nossas exigências, nós nos afastamos ou o atacamos com raiva. Nossa raiva ou afastamento repele o cônjuge cada vez mais e torna mais difícil para ele expressar seu amor para nós.

Tais relacionamentos maculados podem renascer? A resposta é afirmativa — desde que os casais se conscientizem da natureza do amor e aprendam a expressar o amor em uma linguagem que seu cônjuge possa entender. Não bastam boas intenções. Devemos também aprender a suprir a necessidade emocional de amor de nosso cônjuge. As pessoas são diferentes. O que faz uma pessoa se sentir amada não necessariamente significa o mesmo para outra pessoa. Por natureza, temos a tendência de expressar amor pelos outros do modo pelo qual gostaríamos que eles expressassem amor por nós. Quando nosso cônjuge não responde de forma positiva às nossas expressões de amor, ficamos frustrados. O problema não está na sinceridade de nosso amor; o problema é que estamos falando a linguagem de amor errada. Se falarmos nossa própria linguagem, e não a de nosso cônjuge, não conseguiremos nos comunicar.

Muitas vezes as pessoas me pedem que explique a popularidade de meu livro *As cinco linguagens do amor*, que já vendeu mais de três milhões de exemplares e foi traduzido para 34 línguas em todo o mundo. Acredito que o livro tem sido um sucesso porque ajuda as pessoas a fazer a transição do amor obsessivo para o amor intencional; ensina as pessoas a descobrir e falar a linguagem de amor do cônjuge e, portanto, a manter vivo o amor intencional no relacionamento delas. No restante deste capítulo, apresento-lhe um resumo das cinco linguagens de amor. Independentemente da estação em que se encontra seu casamento, aprender a falar a linguagem de amor de seu cônjuge melhorará sua comunicação, encherá o tanque de amor do cônjuge e fortalecerá o relacionamento. Se seu casamento está no inverno, aprender a falar a linguagem de amor de seu cônjuge talvez seja a chave para reverter seu casamento e seguir em direção à primavera e ao verão.

As cinco linguagens do amor

Depois de trinta anos como conselheiro conjugal, estou convencido de que existem cinco linguagens de amor básicas — cinco formas para expressar o amor de modo emocional. Cada pessoa tem uma linguagem de amor fundamental a qual devemos aprender a falar, se quisermos que a pessoa se sinta amada.[2]

Palavras de afirmação

Certa vez, quando minha esposa e eu visitávamos nossa filha, nosso genro e nossos dois netos, depois do jantar nosso genro levou o lixo para fora. Quando ele voltou para a sala onde estávamos conversando com nossa filha, ela ergueu os olhos e disse: "John, obrigada por levar o lixo para fora". Eu disse para mim mesmo: *"Isso!"*, porque conhecia o poder da gratidão. Não posso dizer quantos homens e mulheres passaram por meu consultório nos últimos trinta anos e disseram para mim: "Dou um duro todo santo dia, mas meu cônjuge age como se eu não tivesse feito absolutamente nada. Nunca recebi uma única palavra de gratidão". Se a principal linguagem de amor de seu cônjuge são palavras de afirmação, as palavras de elogio e gratidão que você disser para ele cairão como chuva sobre a terra seca. Em pouco tempo, você verá nova vida brotando em seu casamento à medida que o cônjuge responder as suas palavras de amor.

Atos que mostrem serviço

Você se lembra do antigo ditado: "Falar é fácil, fazer é que são elas"? Para algumas pessoas, isso se aplica, sobretudo, ao amor. Se os atos que mostram serviço são a principal linguagem de

[2]Veja Gary CHAPMAN, *As cinco linguagens do amor*, São Paulo, Mundo Cristão, 1997.

amor de seu cônjuge, nada falará mais profundamente com ele do que simples atos que mostram serviço. Maxine, casada há quinze anos, apareceu em meu consultório um dia porque estava frustrada com o casamento. Observe o que ela disse: "Não entendo David. Todos os dias ele diz que me ama, mas nunca faz nada para me ajudar. Ele simplesmente se senta no sofá para assistir à televisão enquanto lavo a louça, e nunca lhe passa pela cabeça a ideia de me ajudar. Estou cansada de ouvir 'amo você'. Se ele me amasse, faria alguma coisa para me ajudar".

A principal linguagem de amor de Maxine consiste em atos que mostrem serviço (e não palavras de afirmação), e ainda que seu marido, David, a ame, ele nunca aprendeu a expressar seu amor de um modo que a faça *se sentir* amada. No entanto, depois que David e eu conversamos e ele leu o livro *As cinco linguagens do amor*, ele entendeu toda a situação e começou a falar a linguagem de amor de Maxine. Em menos de um mês, o tanque de amor de Maxine estava começando a se encher, e o casamento dos dois passou do inverno para a primavera. Em minha conversa seguinte com Maxine, ela disse: "Está maravilhoso. Eu gostaria de ter procurado aconselhamento dez anos atrás. Jamais ouvira falar das linguagens de amor; eu só sabia que não me sentia amada".

Presentes

Em toda sociedade ao longo da história, dar presentes é considerado uma expressão de amor. Presentear é algo universal, pois existe alguma coisa na psique humana que diz que, se você ama alguém, então dará algo a essa pessoa. O que muitos não entendem é que, para alguns, receber presentes é a principal linguagem de amor. É o que as faz se sentir amadas da forma mais profunda. Se você está casado com alguém cuja principal linguagem de amor é dar presentes, você fará seu cônjuge se sentir amado e valorizado dando-lhe presentes em aniversários, dias comemorativos, aniversários de casamento e dias "normais". Os presentes não precisam ser caros ou sofisticados; é a intenção que conta. Mesmo algo tão simples como um cartão caseiro ou algumas flores alegres expressará seu amor pelo cônjuge. Pequenas coisas significam muito para uma pessoa cuja principal linguagem de amor é receber presentes.

Tempo de qualidade

Se a linguagem de amor de seu cônjuge é tempo de qualidade, dar-lhe toda sua atenção é uma das melhores maneiras pelas quais você pode demonstrar seu amor. Alguns homens orgulham-se em poder assistir à televisão, ler uma revista e ouvir a esposa, tudo ao mesmo tempo. Essa é uma característica admirável, mas não tem nada a ver com a linguagem de amor que envolve tempo de qualidade. Em lugar disso, você deve desligar a televisão, guardar a revista, olhar nos olhos de seu cônjuge e *ouvir* e *interagir*. Para o cônjuge, ter vinte minutos de sua total atenção — ouvindo e conversando — é como recarregar por vinte minutos o tanque de amor dele. Marido, se você quiser impressionar sua esposa, da próxima vez que ela entrar na sala enquanto você estiver assistindo a um evento esportivo, tire o som da televisão e não tire os olhos de sua esposa enquanto ela estiver na sala. Se ela travar uma conversa com você, desligue a televisão e lhe dê toda a atenção. Você ganhará mil pontos, e o tanque de amor dela ficará transbordando.

Toque físico

Já conhecemos há muito o poder emocional do toque físico. É por isso que pegamos os bebês e os tocamos com carinho. Bem antes de entender o significado da palavra *amor*, o bebê *se sente* amado por meio do toque físico. No casamento, a linguagem de amor que envolve o toque físico inclui tudo — desde o gesto de pôr a mão sobre o ombro de seu cônjuge enquanto vocês caminham, tocar a perna dele durante um passeio de carro ou andar de mãos, até se beijar, se abraçar e terem relações sexuais. Se o toque físico for a principal linguagem de amor de seu cônjuge, nada expressará o amor mais claramente do que você tomar a iniciativa de estender a mão e tocar seu cônjuge.

Descobrindo a linguagem de amor de seu cônjuge

Se a chave para suprir a necessidade de amor emocional de seu cônjuge for aprender a falar a linguagem de amor dele, de que modo você poderá descobrir qual é essa linguagem de amor? É simples. Escute as queixas do cônjuge. Aqui estão cinco queixas comuns e a linguagem de amor que cada uma revela:

- Quer dizer que você não trouxe nada para mim? Você nem sentiu minha falta enquanto estava fora? (receber presentes)
- Nunca mais passamos tempo um com o outro. Somos como dois navios passando no escuro. (tempo de qualidade)
- Não acho que você me tocaria se eu não tomasse a iniciativa. (toque físico)
- Não faço nada certo por aqui. Tudo o que você sabe fazer é criticar. Nunca lhe agrado. (palavras de afirmação)
- Se você me amasse, *faria* alguma coisa por aqui. Você nunca levanta um dedo para ajudar. (atos que mostrem serviço)

Normalmente quando nosso cônjuge se queixa, ficamos irritados. Mas ele está, na verdade, dando-nos informações preciosas. As queixas muitas vezes revelam a chave do desejo íntimo de amor emocional de nosso cônjuge. Se aprendermos a principal linguagem de amor de nosso cônjuge — e a falarmos —, teremos um cônjuge mais feliz e um casamento melhor.

Mas o que acontece se a principal linguagem de amor de seu cônjuge significar algo difícil para você? O que acontece se você não for do tipo que gosta de tocar e ser tocado, mas a principal linguagem de amor de seu cônjuge for o toque físico? A resposta é simples, embora não necessariamente *fácil*: aprender a falar a linguagem do toque físico. Você aprende a falar uma nova linguagem de amor *tentando*. A princípio talvez seja difícil, mas na segunda vez será mais fácil e na terceira, ainda mais fácil. Por fim, você será um perito em falar a linguagem de amor de seu cônjuge; e se ele corresponder falando sua linguagem, vocês dois manterão vivo para sempre o amor emocional no casamento.

Meus arquivos estão cheios de cartas nas quais as pessoas dizem que aprender a principal linguagem de amor do cônjuge revolucionou o casamento delas. Por exemplo, o caminhoneiro Rick, de 33 anos e casado há doze anos, escreveu:

> Temos o melhor casamento possível. Minha esposa comprou para mim *As cinco linguagens do amor* em fita cassete para que eu pudesse ouvi-lo em meu caminhão de carga. Estávamos em uma estação de inverno nessa época em nosso casamento. Depois que descobri a linguagem de amor dela, isso me ajudou a entender por que ela vivia dizendo que eu não a amava. Eu sabia que a amava e sempre dizia isso a ela. O problema era que a linguagem de amor dela consistia em atos que mostrassem serviço, e nunca fazia nada para ajudá-la em casa. Acho que segui o exemplo de meu pai — aliás, mamãe e papai também

> nunca tiveram mesmo um casamento muito bom. Agora tento fazer as coisas para Brenda quando estou em casa. Isso fez uma grande diferença em nosso casamento.

Em uma carta, Brenda, a esposa de Rick, disse:

> Estávamos tendo sérios problemas e falávamos em separação. Eu tinha uma amiga que me fez ler um exemplar do livro *As cinco linguagens do amor*. Então, Rick e eu começamos a conversar sobre nosso relacionamento. Descobri que a linguagem de amor dele consiste em palavras de afirmação. Aqui eu o criticava porque não me sentia amada por ele, mas desde o começo eu só o fazia se sentir pior e não sabia disso. Agora ele fala minha linguagem e eu falo a dele. Saímos de uma estação muito fria e passamos para uma estação quente de primavera ou de verão no casamento.

Entender a principal linguagem de amor de seu cônjuge — e aprender a falá-la — pode fazer muita diferença em seu casamento.

O que acontece se seu cônjuge não estiver disposto a ler um livro sobre casamento ou discutir a vida conjugal de ambos? Com casamentos nas estações do outono e do inverno, isso é sempre o que acontece. Um dos cônjuges se preocupa tanto com o casamento, que decide ler um livro, participar de um seminário ou procurar aconselhamento, enquanto o outro não está disposto a fazer nada. É nesse momento que o amor incondicional passa a ser extremamente importante. É fácil amar seu cônjuge quando ele ama você. É fácil dizer palavras de afeto para seu cônjuge quando ele o está tratando com carinho. Mas, mesmo que seu cônjuge não esteja disposto a tentar ou corresponder, o amor incondicional significa que você *optará* por amar seu cônjuge usando a principal linguagem de amor dele.

Embora seja difícil, o amor incondicional é o tipo de amor que Deus tem por nós. Romanos 5:8 diz que Deus nos amou "sendo nós ainda pecadores" e enviou Cristo para morrer por nós. As Sagradas Escrituras também dizem que amamos a Deus "porque ele nos amou primeiro" (1Jo 4:19). Assim, ao optar por amar seu cônjuge de modo incondicional, você está seguindo o exemplo de Deus. E se você pedir a Deus, ele lhe dará a capacidade para fazê-lo.

Em Romanos 5:5 o apóstolo Paulo diz: "O amor de Deus é derramado em nosso coração pelo Espírito Santo". Do mesmo modo, quando seu amor é derramado enquanto você fala a linguagem de amor de seu cônjuge, você está fazendo o que é mais emocionalmente eficaz e está ao seu alcance. O cônjuge precisa muito receber de você o amor emocional. À medida que o tanque de amor de seu cônjuge começa a encher, há chances maiores de ele começar a corresponder. Um tanque de amor cheio cria um ambiente positivo no qual você e seu cônjuge podem conversar sobre suas diferenças com mais facilidade e discutir soluções para os conflitos. Tenho visto muitas mulheres e homens difíceis e frios se derreter toda vez que começam a receber amor por meio de sua linguagem de amor. O amor é a arma mais poderosa no mundo para o bem. Ele pode derreter o mais frio dos invernos e trazer as flores da primavera para seu casamento.

ESTRATÉGIA Nº 4

Desenvolva o impressionante poder de ouvir com empatia

A habilidade de falar e a habilidade de ouvir são dois dos dons mais profundos que Deus deu à humanidade. Os animais não se sentam em torno de uma fogueira para relembrar o que aconteceu há cinco anos ou discutir suas expectativas do futuro. Mas as pessoas fazem isso. A comunicação oral é o fundamento de toda a cultura humana. Essas habilidades para falar e ouvir permitem-nos passar ideias de uma mente para outra.

Da mesma forma, em um casamento nada é mais fundamental do que conversar e ouvir. Essa simples transação é o veículo que permite que os casais processem a vida juntos como equipes de trabalho. A comunicação aberta é a alma que mantém um casamento nas estações da primavera e do verão. Em contrapartida, não se comunicar é o que leva ao outono e ao inverno.

Falar e ouvir — parece tão simples. Se é assim, então por que, ao responderem em uma pesquisa à pergunta: "Por que seu casamento fracassou?", 80% dos indivíduos divorciados disseram: "Falta de comunicação"?

Teria sido possível salvar e restaurar esses casamentos? Acredito que a resposta seja afirmativa — se os casais tivessem aprendido alguns padrões de comunicação positivos. A chave para melhorar a comunicação com o cônjuge está em desenvolver o poder de ouvir com empatia. Empatia significa entrar no mundo da outra pessoa, procurar se pôr no lugar dela e ver o mundo pela perspectiva dela. Um marido empático procura entender o que a esposa está experimentando — seus pensamentos, sentimentos e desejos. E o mesmo acontece com uma esposa empática com relação ao marido. Ela procura entender os sonhos, as esperanças, os medos dele. Ouvir com empatia encoraja outras pessoas a conversarem, porque elas sabem que serão ouvidas.

Infelizmente, por natureza, temos a tendência de ouvir de modo crítico. Avaliamos o que diz a outra pessoa com base em nossa própria visão da situação e respondemos pronunciando nosso veredicto. Ouvir de forma crítica é algo que tende a interromper o fluxo da comunicação — e nós nos perguntamos por que nosso cônjuge não conversa mais! Ao fracassarmos na arte de ouvir com empatia, acabamos com a intimidade, aquilo que tão desesperadamente desejamos.

O objetivo deste capítulo é ajudá-lo a aprender a estimular a comunicação positiva por meio da prática de ouvir com empatia. Para isso, talvez seja necessária uma mudança radical no modo de conversar com seu cônjuge. É claro que esforço e prática são requisitos, mas as recompensas serão irresistivelmente positivas. Para a maioria de nós, ouvir com empatia requer mudança considerável de atitude. Devemos mudar nosso modo *egocêntrico* de ouvir (ver a conversa pelos nossos próprios olhos) para o modo *empático* de ouvir (ver a conversa pelos olhos de nosso cônjuge). O propósito de ouvir com empatia é ver o mundo pela perspectiva de seu cônjuge e, assim, entender o que ele está experimentando por dentro — *percepções* e *sentimentos.* Isto é importante: você nunca entenderá o cônjuge se limitar seu modo de ouvir a percepções, pensamentos, opiniões e desejos. Você também deve entender os *sentimentos* por trás dos pensamentos.

O marido que diz: "Acho que vou deixar de ir à igreja", e a esposa que responde: "Por que você faria isso? Não vai ajudar em nada", ambos tiveram um breve diálogo, mas pouca compreensão. Entretanto, se a esposa responder: "O que leva você a dizer isso?", e o marido disser: "Estou tão desanimado de ouvir os mesmos velhos sermões de condenação todo domingo", eles se colocam agora no caminho que leva à compreensão. Se eles continuarem nesse processo de ouvir com empatia, poderão muito bem chegar a entender um ao outro.

Talvez você esteja pensando: *Eu ficaria feliz em ouvir meu cônjuge e tentar entendê-lo se ele tão somente dissesse alguma coisa.* Se seu cônjuge não se comunica, posso garantir que há uma razão — ou razões — para o silêncio. Talvez seu marido não tenha sido incentivado a conversar quando criança. Talvez as ideias dele tenham sido desconsideradas ou ignoradas pelos pais até ele desenvolver a atitude que diz: "Por que falar? Ninguém está ouvindo". Quem sabe sua esposa tivesse tentado expressar os pensamentos e opiniões dela, mas tivesse sido humilhada ou condenada. Assim, ela conclui: *Quem quer ser rejeitado? É mais fácil ficar de boca fechada.*

Entretanto, talvez seja simplesmente uma questão de personalidade. Em minha prática de conselheiro, identifiquei dois tipos distintos de personalidade no que diz respeito a conversar: as pessoas do mar Morto e as dos Riachos

Murmurantes. Com o indivíduo do mar Morto, as informações fluem, mas não há nenhum retorno. Assim como o mar Morto em Israel, que não tem saída, mas só recebe e armazena água do rio Jordão, os indivíduos do mar Morto recebem pensamentos, sentimentos e experiências durante todo o dia — e ficam perfeitamente contentes em não falar sobre eles. Se você perguntar a essas pessoas: "O que há de errado? Por que você não está conversando?", a resposta normal será: "Não há nada de errado. O que faz você pensar que há algo errado?". Para o indivíduo do mar Morto, não conversar é perfeitamente natural.

O tipo de personalidade oposta é a dos Riachos Murmurantes. Eles falam a respeito de tudo que veem ou ouvem. Se ninguém estiver em casa para ouvir, eles telefonam para alguém e dizem: "Sabe o que acabei de ver?", "Sabe o que acabei de ouvir?". Eles não guardam nada.

Em geral, essas duas personalidades se casam. Os Riachos Murmurantes são atraídos para os mares Mortos porque estes, por sua vez, são ouvintes maravilhosos. Os mares Mortos ficam à vontade com os Riachos Murmurantes uma vez que não são pressionados a conversar. A boa notícia é que um mar Morto pode aprender a conversar, e um Riacho Murmurante pode aprender a "reduzir o fluxo". Comunicar-se com eficácia é uma opção.

Ouvir com empatia encorajará o cônjuge do mar Morto a conversar porque isso cria uma atmosfera de interesse genuíno naquilo que ele está dizendo. Se sentimentos negativos surgiram por causa do tratamento passado na infância ou no casamento, ouvir com empatia tende a trazer cura. Na verdade, a forma mais rápida de lidar construtivamente com sentimentos negativos é fazer com que a pessoa sinta que está sendo ouvida e entendida.

Outra pergunta que normalmente fazem para mim é: "Como ouvir com empatia quando o que meu cônjuge diz é crítico e desagradável?". Mais uma vez, a resposta está em entender o que está por trás das palavras críticas e desagradáveis. Em geral, um cônjuge que fala de modo crítico fala assim porque o coração dele está cheio de mágoa e raiva dos maus-tratos do passado. Somos todos humanos e temos a tendência de ficar na defensiva quando nossa autoestima é ameaçada. Entretanto, já que ouvir com empatia é algo que inclui tanto sentimentos como percepções, este é o meio mais eficaz de ajudar as pessoas a processar a mágoa e a raiva delas — razão por que é uma das principais habilidades de um conselheiro eficiente. Não estou sugerindo que você passe a ser um conselheiro de seu cônjuge. Ao contrário, estou dizendo que, se aprender a arte de ouvir com empatia, você poderá fazer parte da solução, e não do problema. Ouvir com empatia também é um meio eficiente para desenvolver a autoestima do cônjuge. Quando seu cônjuge tiver uma autoestima saudável, ele ficará menos na defensiva.

Mesmo que seu cônjuge tenha alguns padrões de comunicação com disfunção, ouvir com empatia cria potencialmente um clima no qual esses padrões podem ser descobertos e transformados. Entretanto, ouvir de maneira crítica somente perpetua o problema. É por isso que muitos casais chegam a dizer: "Nós simplesmente não podemos nos comunicar, então por que tentar?". O outono vira inverno, e o inverno muitas vezes acaba em divórcio. Repito minha convicção de que muitos desses divórcios poderiam ter sido evitados se, pelo menos, um dos cônjuges tivesse aprendido o impressionante poder de ouvir com empatia.

Aprendendo a ouvir com empatia

Aqueles que ouvem com empatia se aproximam de toda conversa com a atitude de tentar entender a outra pessoa. "Quero saber o que está se passando na mente e no coração de meu cônjuge. Quero participar das alegrias e tristezas dele." Tais níveis de compreensão são essenciais se você deseja ter um casamento íntimo.

Uma das características da atitude de ouvir com empatia é desenvolver uma *atitude genuína de compreensão.* Essa não é uma questão de pouca importância, nem se torna fácil para a maioria de nós. O psicólogo Paul Tournier expressou bem a questão quando disse: "Cada um fala primeiramente para expor suas próprias ideias... Raras trocas de pontos de vista manifestam um verdadeiro desejo de entender a outra pessoa".[1]

Por natureza somos todos egocêntricos. O mundo gira ao *meu* redor. A maneira pela qual *eu* penso e me sinto é a questão mais importante. Damos um grande passo rumo à maturidade sempre que optamos por desenvolver uma atitude de empatia — buscando sinceramente entender os pensamentos e sentimentos de outra pessoa. O apóstolo Pedro desafia principalmente os homens quando escreve aos maridos: "Vivei a vida comum do lar, com discernimento; e, tendo consideração para com a vossa mulher como parte mais frágil, tratai-a com dignidade" (1Pe 3:7). De acordo com Provérbios 18:2, viver de modo egocêntrico é loucura: "O insensato não tem prazer no entendimento, senão em externar o seu interior". Portanto, quando pedimos a Deus que nos ajude a mudar nossas atitudes, que nos dê um verdadeiro desejo de entender nosso cônjuge, estamos mostrando sinais de sabedoria.

[1] *To understand each other*, Atlanta, John Knox, 1967, p. 4.

Outro importante aspecto da atitude de ouvir com empatia é *optar por guardar nosso julgamento* sobre as ideias de nosso cônjuge. Aqui, mais uma vez, talvez precisemos mudar radicalmente nosso modo de pensar. Afinal, guardamos opiniões sobre quase tudo e estamos convencidos de que nossa perspectiva está correta. Do contrário, mudaríamos nossos pontos de vista, não é? Mas quando dizemos: "Minha maneira de ver a situação é como ela é", estamos deixando de reconhecer que nosso cônjuge pensa a mesma coisa acerca de suas próprias opiniões. Visto que nós dois somos egocêntricos, muitas vezes temos opiniões divergentes sobre a mesma situação. Isso simplesmente faz parte do ser humano e do estar casado. Os cônjuges com frequência veem as coisas de modo muito diferente.

Se eu escutar o que minha esposa diz com a intenção de "corrigi-la", nunca vou entendê-la, e grande parte de nossas conversas acabará em discussão sem solução, deixando-nos como inimigos em vez de amigos, adversários em vez de membros de uma mesma equipe.

É essa propensão de julgar que destrói diariamente as conversas de milhares de casais. Quando uma esposa diz: "Acho que preciso parar de trabalhar", e o marido responde: "Você não pode parar de trabalhar. Não podemos ficar sem seu salário. E lembre-se de que foi você quem quis esta casa", é sinal de que ambos estão a caminho de uma terrível discussão ou vão se retirar e sofrer em silêncio, cada um culpando o outro pela frieza do inverno que se instala no casamento deles. Mas como a conversa seria diferente se o marido guardasse seu julgamento e, em vez disso, respondesse para a esposa com estas palavras: "Parece que você teve um dia difícil no trabalho, querida. Quer falar sobre isso?". Ele agora tem a possibilidade de entender a esposa. E, quando ela se sente compreendida, os dois podem tomar uma decisão sábia referente ao trabalho dela. Guardar o julgamento é o que permite o avanço da conversa.

A terceira característica da atitude de ouvir com empatia é a mais importante e, contudo, também a mais difícil: *aceite seu cônjuge mesmo quando você não concorda com as ideias dele.* Como fazer isso? Aceitando seu cônjuge pelo fato de ele compartilhar suas ideias e sentimentos com você. Em outras palavras, você expressa sua gratidão ao cônjuge por ele mostrar-se aberto e sincero com você.

A afirmação é um grande passo que vai além do simples fato de guardar o julgamento. Ao aceitar seu cônjuge verbalmente, você lhe dá a liberdade de ter ideias diferentes das suas e ter sentimentos que você não teria em uma mesma situação.

Sua afirmação pode ser verbalizada em afirmações parecidas com estas:

> Aprecio você por compartilhar suas ideias e sentimentos comigo. Agora posso entender por que você ficou tão magoado. Se eu estivesse em seu lugar, tenho certeza de que me sentiria da mesma forma. Quero que você saiba que o amo muito, e dói ver você magoado, mas pelo menos agora entendo o que está se passando em seu íntimo. E aprecio você por ser franco comigo. É claro que tudo isto me afeta, e algumas ideias e sentimentos sobre a questão passam pela minha cabeça. Não tenho certeza de que posso verbalizá-los, mas me disponho a tentar sempre que você quiser ouvir. Mas, por favor, saiba que estou ao seu lado. Amo você e quero fazer o que estiver ao meu alcance para ajudar.

Um cônjuge que ouve essas palavras de afirmação pode ou não estar preparado de imediato para aceitar a perspectiva do outro. No entanto, ele se sentirá compreendido e aceito. Nada é mais importante do que a afirmação para criar uma atmosfera na qual um cônjuge, finalmente, estará disposto a ouvir a perspectiva do outro.

Desenvolver a arte da afirmação, quer você concorde com as ideias de seu cônjuge, quer não concorde, cria um clima positivo que encoraja seu cônjuge a compartilhar coisas de forma aberta, e isso cultiva o solo em que as sementes do trabalho em equipe poderão ser plantadas. Por fim, essas sementes produzirão as flores da primavera e do verão no casamento.

O auge da atitude de ouvir com empatia é *compartilhar as próprias ideias só quando seu cônjuge se sentir compreendido.* Como acontece com os outros passos, esse passo pode requerer grande mudança em nossos padrões normais de comunicação. Por natureza, somos rápidos em dar nossas ideias. Na verdade, uma pesquisa mostra que a pessoa comum escuta o que a outra diz por dezessete segundos antes de interrompê-la para dar as próprias ideias sobre o assunto. Na pior das hipóteses, isso consiste em ouvir de modo egocêntrico e raramente resulta em uma conversa produtiva. Entretanto, ouvir com empatia cria um clima positivo no qual é quase certo que seu cônjuge vai querer ouvir o que você tem a dizer.

As quatro chaves para ouvir com empatia
Ouça com uma atitude de compreensão (e não de julgamento).
Guarde seu julgamento sobre as ideias do cônjuge.
Aceite seu cônjuge, mesmo que você não concorde com as ideias dele.
Compartilhe as próprias ideias só quando seu cônjuge se sentir compreendido.

Quando seu cônjuge se sentir compreendido, em vez de censurado ou reprovado, ele ficará muito mais aberto para ouvir seu ponto de vista. Ouvir com empatia estimula sentimentos positivos. O erro mais comum em grande parte das conversas conjugais é a ação de expressar de forma precipitada as ideias. Tal comportamento quase sempre acaba em discussões inúteis, que deixam o casal mais afastado um do outro e o casamento muito mais próximo do inverno.

Marissa veio sozinha participar de meu seminário sobre casamento. Ela descreveu a vida conjugal dela da seguinte forma:

> Nosso casamento não tem graça. Estamos definitivamente na estação do inverno. Não quero ir para casa à noite e topar com meu marido. Quero que as coisas mudem. Sei que nós dois temos de mudar. Tenho a tendência de excluí-lo. Não converso com ele. Quando tentamos conversar, discutimos por qualquer coisa. Não ouço o que ele diz, e ele não me ouve. Conversei com ele pelo telefone ontem à noite depois de nossa sessão, e ele se dispôs a ler um livro comigo. Espero que nosso casamento possa melhorar.

Tive a sensação de que, se aprendesse as habilidades para ouvir com empatia, Marissa poderia fazer com que seu casamento entrasse na primavera. Que habilidades práticas podem ajudar Marissa — e você — a desenvolver a arte de ouvir com empatia?

Aprendendo as habilidades para ouvir com empatia

As ideias que vou compartilhar não são misteriosas. Não estão envolvidas por termos psicológicos. No entanto, mesmo sendo de fácil compreensão, para dominá-las serão necessários esforço consciente e prática. Creio que qualquer pessoa que fizer uma tentativa sincera poderá aprender o impressionante poder da atitude de ouvir com empatia. Proponho que você leia repetidamente a lista de ideias a seguir até que elas façam parte de seu modo de pensar. Quando seu cônjuge começar a conversar com você, peça a Deus que o ajude a lembrar e a aplicar as habilidades que serão mais significativas para seu cônjuge. Faça diariamente a oração de São Francisco de Assis, que orou: "Ó Divino Mestre, concede-me a graça de não buscar tanto... ser compreendido quanto compreender". Essa é uma oração à qual Deus responderá. Pratique os seguintes passos (e você *terá* de praticá-los!) e veja sua comunicação florescer:

1. *Ouça com seus olhos.* Dê a seu cônjuge toda a atenção. Desligue a televisão. Guarde o livro ou revista e olhe para seu cônjuge. O contato visual diz o seguinte: "O que você está dizendo é importante para mim".
2. *Ouça com sua boca.* Mantenha a boca fechada, pelo menos, cinco minutos. Inserir suas ideias rápido demais mostra que você não está ouvindo com empatia. Enquanto seu cônjuge estiver falando, seu papel é ouvir. Lembre-se de que seu objetivo é descobrir o que está se passando na mente e no coração de seu cônjuge.
3. *Ouça com seu pescoço.* Balançar a cabeça indica o seguinte: "Estou tentando entender o que você está dizendo. Estou ao seu lado".
4. *Ouça com suas mãos.* Não fique inquieto com um lápis, um papel ou o controle remoto da televisão. Deixe as mãos relaxadas do lado ou sobre as pernas. Não as coloque atrás do pescoço nem as estenda em direção ao teto como se estivesse entediado.

5. *Ouça com suas costas.* Incline-se para frente de vez em quando enquanto seu cônjuge estiver falando, em vez de ficar sentado de modo aprumado. Um leve movimento corporal para frente indica o seguinte: "Você tem toda a minha atenção".
6. *Ouça com seus pés.* Fique em seu lugar. Não saia da sala enquanto seu cônjuge estiver falando — a não ser, é claro, que surja uma emergência na sala ao lado. Se isso acontecer, diga a seu cônjuge por que você está saindo. Por exemplo: "Querido(a), vou apagar o fogo na cozinha e já volto".
7. *Ouça sentimentos e fatos.* Se você só ouvir e responder ao que seu cônjuge diz — e ignorar sentimentos —, ele não se sentirá compreendido.
8. *Enquanto ouvir, tente imaginar a situação pela perspectiva do cônjuge.* Tente entender a interpretação que seu cônjuge faz da situação e os sentimentos dele com relação ao que aconteceu. É difícil fazer isso, porque nós seres humanos somos naturalmente egocêntricos, mas é essencial se você quiser ouvir com empatia.
9. *Resista ao ímpeto de compartilhar sua perspectiva antes de seu cônjuge se sentir compreendido.* Não diga para seu cônjuge que os fatos não estão bem claros para ele, que ele está entendendo mal suas intenções ou que não tem direito de ficar nervoso ou desapontado. Jamais compartilhe sua perspectiva até ter entendido a perspectiva de seu cônjuge. Uma vez que o cônjuge se sentir compreendido, ele terá muito mais chances, e será muito mais capaz, de ouvir sua opinião.

10. *Procure esclarecer o que você entendeu das ideias de seu cônjuge fazendo perguntas para reflexão.* "O que ouvi você dizer é que você pensa ____________. Estou entendendo bem?" Quando seu cônjuge responder a essa pergunta, balance a cabeça de forma afirmativa. Não comece a "batalha", ainda que você discorde do que seu cônjuge está dizendo.
11. *Procure esclarecer o que você entendeu das emoções de seu cônjuge fazendo perguntas para reflexão.* "Parece-me que você está se sentindo desapontado porque ____________. É isso?" Seu cônjuge pode concordar ou dizer: "Desapontado? O que você acha de magoado, irritado e frustrado?". Mais uma vez, ao balançar a cabeça de forma afirmativa você estará dizendo: "Estou ouvindo você".
12. *Resuma o que você entendeu dos pensamentos e sentimentos de seu cônjuge.* "O que estou entendendo é que você está magoado e irritado porque acha que o desapontei por não ____________. É isso?" Quando seu cônjuge mostrar que você entende o que ele está pensando e sentindo, você estará pronto para o passo mais importante na atitude de ouvir com empatia: a afirmação.

13. *Afirme os pensamentos e sentimentos de seu cônjuge verbalmente.* Você pode dizer algo do tipo: "Enquanto eu o escutava, pude compreender como você estava magoado e irritado comigo. Se estivesse em seu lugar, eu sentiria a mesma coisa". (E você sentiria se estivesse realmente vendo a situação pela perspectiva de seu cônjuge.) A afirmação verbal dos pensamentos e sentimentos de seu cônjuge é o que

define você como um cônjuge compreensivo, em vez de um inimigo.

14. *Peça permissão para compartilhar sua perspectiva.* Agora que ouviu plenamente seu cônjuge e entende o que ele pensa e sente, você está pronto para pedir permissão para compartilhar sua perspectiva pessoal. Você pode dizer algo do tipo: "Realmente lhe agradeço o fato de compartilhar isso comigo. Agora entendo por que você estava preocupado [ou qualquer outro sentimento que você percebe que o cônjuge está sentindo]. Posso compartilhar com você minha perspectiva, pois acho que isso lhe mostrará o que se passava dentro de mim durante esta situação toda?". Se seu cônjuge estiver aberto — e as pessoas normalmente estão abertas depois de se sentirem compreendidas —, você estará livre para compartilhar sua perspectiva sobre aquilo que você fez e por que o fez.

Ao ouvir seu cônjuge com empatia, você cria uma atmosfera em que ele tem mais chances de ouvi-lo com empatia. Quando duas pessoas estão procurando entender uma a outra, normalmente elas se entendem. Depois o casal pode buscar uma solução para o problema. Quando ambos procuram resolver — em vez de vencer — uma discussão, não só descobrem soluções viáveis, mas também uma intimidade com o cônjuge. Quando se está tentando fazer com que um casamento no outono ou inverno passe para a primavera ou verão, poucas coisas são mais importantes do que o impressionante poder de ouvir com empatia.

ESTRATÉGIA Nº 5

Descubra a alegria de ajudar seu cônjuge a ter sucesso

O que é sucesso? Pergunte isso a grupos de pessoas e estará sujeito a ouvir respostas diferentes às dúzias. Um amigo meu disse: "Sucesso é aproveitar ao máximo quem você é com o que você tem". Gosto dessa definição. Toda pessoa tem o potencial de causar um impacto positivo no mundo. Tudo depende do que fazemos com o que temos. Não se mede o sucesso pela soma de dinheiro em nosso bolso ou pela posição que conquistamos, mas pela forma modo como usamos nossos recursos e oportunidades. Posição e dinheiro podem ser utilizados para ajudar os outros; do contrário, podem ser desperdiçados ou mal-usados. Pessoas verdadeiramente bem-sucedidas são aquelas que ajudam os outros a ter sucesso.

O mesmo acontece no casamento. Uma mulher bem-sucedida é a que investe tempo e energia ajudando o marido a atingir seu potencial dado por Deus e para fazer o bem no mundo. Do mesmo modo, um marido bem-sucedido é o que ajuda a esposa a ter sucesso. Diz um antigo provérbio: "Não se pode ajudar um homem a subir uma montanha sem se chegar ao topo". Concordo com meu amigo Harold

Sala, que disse: "Com a possível exceção dos pais que dão direção a um filho nos primeiros anos de vida, nenhuma pessoa solteira contribui para o sucesso de um homem mais do que sua esposa".[1] Também poderia se dizer que o marido contribui muito para o sucesso (ou fracasso) da esposa.

Devo confessar que sabia muito pouco sobre esse negócio de ajudar minha esposa a ter sucesso, no início de nosso casamento. Imagino que, de modo geral, eu queria que ela fosse feliz e bem-sucedida. Mas o foco principal de minha atenção estava no que ela poderia fazer para *mim*. Quando ela não correspondia as minhas expectativas, eu tentava motivá-la pela manipulação. Meu discurso era: "Eu a trataria melhor se você me tratasse melhor". Levei vários anos para descobrir a alegria de ajudar Karolyn a ter sucesso, mas ao fazer isso nosso casamento saiu do inverno e foi para a primavera em questão de poucas semanas.

Então, por onde começar? No meu caso, tudo começou com um novo exame da vida e dos ensinos de Jesus Cristo. Poucas pessoas negariam que Jesus teve o impacto mais positivo sobre a história humana de qualquer homem que já viveu. Contudo, a abordagem de Jesus não consistiu em manipulação nem serviu aos próprios interesses dele. Na verdade, muito pelo contrário: ele foi um líder servindo aos outros. Durante os três anos e meio de vida pública, ele curou os doentes, alimentou os famintos, falou com carinho com os oprimidos e trouxe esperança aos necessitados. O apóstolo Pedro resume a vida de Jesus com esta afirmação: "[Ele] andou por toda parte, fazendo o bem".[2]

Talvez o maior ato de Jesus — além da sua morte sacrificial em nosso lugar — tenha sido o ato de pegar uma

[1] *Something more than love*, Denver, Accent, 1983, p. 105.
[2] Atos 10:38.

bacia de água e uma toalha para cumprir a humilde tarefa de lavar os pés dos seus discípulos. Com aquele gesto simples, mas profundo — fazer o que precisava ser feito, mas que ninguém mais queria fazer — Jesus demonstrou humildade, amor e verdadeira liderança.

Marido, você está disposto a se humilhar a tal ponto para servir a sua esposa? Esposa, você está disposta a servir a seu marido desta forma? Jesus eliminou todas as dúvidas sobre suas intenções quando disse: "Ora, se eu, sendo o Senhor e o Mestre, vos lavei os pés, também vós deveis lavar os pés uns dos outros. Porque eu vos dei o exemplo, para que, como eu vos fiz, façais vós também... Ora, se sabeis estas coisas, bem-aventurados sois se as praticardes".[3] Em outra ocasião, Jesus disse aos seus discípulos: "Quem quiser tornar-se grande entre vós, será esse o que vos sirva".[4] É um grande paradoxo — para subir é preciso descer. A verdadeira grandeza se expressa pelo servir, e não por buscar os próprios interesses.

Esse princípio aplica-se ao casamento e a toda a vida. Um marido realmente maravilhoso é o que está disposto a servir a sua esposa. Uma esposa realmente maravilhosa é a que está disposta a servir a seu marido. Se você quiser dar uma nova vida a um casamento no outono ou inverno, comece a servir a seu cônjuge. Se seu casamento estiver na primavera ou no verão e você quiser que ele continue assim, comece a servir a seu cônjuge. Cortar a grama, fazer comida, limpar o banheiro, passar o aspirador de pó no chão, lavar roupa, cuidar das crianças enquanto seu cônjuge vai à academia, lavar o carro, podar os arbustos, resolver um problema no computador e fazer uma limpeza na garagem são exemplos de

[3]João 13:14,15,17.
[4]Mateus 20:26.

atos que mostram serviço. Levei um bom tempo para descobrir que o maior sentido da vida está em *dar*, e não em *receber*. Quando, finalmente, compreendi esse profundo princípio, isso fez uma diferença considerável em meu casamento.

No meu caso, a atitude de mostrar serviço exigia uma drástica mudança no coração. Meu espírito egocêntrico tinha de ser liberado, não para minha esposa, mas para Deus. Lembro-me do dia em que fiz uma simples oração: "Senhor, dá-me a atitude de Cristo. Quero servir a minha esposa como Jesus serviu aos seus discípulos". Ao relembrar quatro décadas de casamento, estou convencido de que a resposta de Deus para *aquela* oração teve um impacto maior sobre meu casamento do que qualquer oração que eu já havia feito.

Uma vez que a atitude de seu coração tenha mudado, tudo se torna simplesmente uma questão de aprender a mostrar serviço em aspectos que ajudarão seu cônjuge a atingir o próprio potencial de fazer o bem. Três simples perguntas tornaram isso prático para mim. Quando me dispus a fazer as três perguntas para Karolyn (e a fazer o que ela sugeriu!), eu me coloquei na posição de ajudá-la a ter sucesso. As perguntas são: 1) O que posso fazer para ajudar você?, 2) Como posso deixar sua vida mais fácil? e 3) Como posso ser um marido melhor? As respostas de minha esposa para as três perguntas deram-me os itens que mudaram nosso casamento para sempre.

Três perguntas simples para ajudar seu cônjuge a ter sucesso
1. O que posso fazer para ajudá-lo? 2. Como posso deixar sua vida mais fácil? 3. Como posso ser um(a) marido(esposa) melhor?

Se você estiver na estação do inverno no casamento e com receio de que, ao fazer essas perguntas, seu cônjuge tão somente diga: "É tarde demais. Não quero ouvir isso", posso sugerir uma abordagem diferente: pense nas queixas que seu cônjuge fez durante seu casamento. Tais queixas revelam os desejos ocultos do cônjuge. Talvez você as tenha achado inoportunas na época, mas agora que você tem uma atitude de mostrar serviço, elas lhe darão informações valiosas. Comece simplesmente a fazer e dizer as coisas que seu cônjuge pediu ao longo dos anos, então você poderá ver uma atitude mais amena nele. Por fim, é difícil desprezar um marido ou uma esposa que esteja sinceramente tentando ajudar você a ter sucesso.

Muitos casais compartilharam comigo a experiência de descobrir essa estratégia. Conheci Phil em Birmingham, no Alabama. Ele tinha 37 anos e estava em seu segundo casamento havia dois anos. Ele me contou:

> Passamos do outono para a primavera no casamento. Tive de aprender a mudar as coisas relacionadas a mim mesmo que melhorassem nosso casamento. Tenho constantemente de descobrir o que é importante para minha esposa e tentar dar isso a ela. Estou mudando para ser mais comunicativo, o que é difícil para mim. Por um tempo me importava mais com os esportes e os amigos do que com ela. Eu também não conversava com minha esposa; em vez disso, compartilhava com outras pessoas assuntos que deveriam ter ficado entre nós dois. Quando comecei a passar um tempo de qualidade com ela e a fazer coisas que lhe eram importantes, a atitude dela mudou.

Darlene, que conheci em Denver, tinha 48 anos e estava casada com Rod havia trinta anos. Ela conta:

> Uma coisa importante e decisiva foi que comecei a entender mais as necessidades de meu marido. Eu era mãe na maior

> parte do tempo e tinha a tendência de esquecer que também era esposa e meu marido precisava de mim tanto quanto meus filhos. Agora percebo que é com ele que passarei toda a minha vida, e não com nossos filhos ou nossos pais. Entender as cinco linguagens do amor foi tão estimulante para mim, que me ajudou a me abrir para as coisas das quais meu marido precisa. Continuo a aprender a falar palavras de afirmação, das quais sei que ele necessita. Ele aprendeu que eu preciso do meu marido passando mais tempo comigo e fazendo coisas para mim. Ele aprendeu a conversar mais comigo. Com seus elogios e paciência, tornei-me uma pessoa muito mais feliz. Definitivamente saímos do inverno e passamos para a primavera em nosso casamento.

Darlene e Rod descobriram a alegria de ajudar um ao outro a ter sucesso.

Quais são algumas maneiras práticas pelas quais você poderia ajudar seu cônjuge a ter sucesso? A melhor resposta para essa pergunta virá dele, mas permita-me compartilhar com você algumas coisas que outros casais descobriram ser extremamente úteis.

Uma das formas mais eficazes para ajudar seu cônjuge é *falar palavras de encorajamento.* A palavra *encorajar* significa "inspirar coragem". Todos temos áreas em que nos sentimos inseguros e nos falta coragem, e essa falta de coragem muitas vezes nos impede de realizar as coisas positivas que almejamos. O potencial inexplorado de seu cônjuge talvez esteja esperando suas palavras de encorajamento.

Fez-se a seguinte pergunta a um casal que estava sendo entrevistado durante a comemoração de seu quinquagésimo aniversário de casamento: "A que vocês atribuem o sucesso de seu longo casamento?". O marido respondeu: "Sarah foi minha primeira namorada. Quando a pedi em casamento, eu estava com muito medo. Entretanto, depois do casamento, o pai dela me chamou de lado, entregou-me um pequeno embrulho e disse: 'Aqui está tudo o que você realmente precisa saber'".

É óbvio que a pergunta seguinte foi: "E o que havia no embrulho?".

Colocando a mão no bolso, o homem tirou um relógio de ouro e disse: "Isto". De uma ponta a outra do mostrador do relógio, onde ele podia ver várias vezes ao dia, estava escrito: *Diga algo bonito para Sarah.* "Isso", ele disse, "é a chave de nosso casamento".[5]

Às vezes a vida pode ser difícil, mas quando ouvimos palavras positivas, somos encorajados a continuar correndo atrás de nossos sonhos. Quando um homem não consegue uma promoção no trabalho, ele pode sentir-se um fracasso. Mas quando sua esposa diz: "Você ainda é o melhor para mim", ele ganha coragem para superar a frustração e perseverar.

Eu estava ministrando em uma igreja em Spokane, em Washington, quando ouvi Julia cantar pela primeira vez. Depois do culto, eu a cumprimentei pelo primor de seu canto.

— Devo isso a meu marido — ela disse.

— Como assim? — perguntei.

— Há seis anos expressei meu desejo de fazer aula de canto. Era algo que eu sempre quis fazer. Estávamos casados havia quatro anos e tínhamos dois filhos na pré-escola. Quando compartilhei a ideia com meu marido, ele disse: "Vá fazer. Será um prazer ficar com as crianças. Você tem uma voz tão linda; precisa desenvolver o talento que Deus lhe deu".

— Que marido bom você tem — eu disse.

— Ele é o melhor — Julia respondeu.

Talvez seu cônjuge tenha um potencial inexplorado em uma ou mais áreas da vida. Quem sabe esse potencial

[5]Harold J. Sala, *Something more than love*, p. 103.

esteja esperando palavras suas de incentivo. Talvez sua esposa precise se matricular em um curso para desenvolver o potencial que ela tem. Talvez seu marido precise conhecer algumas pessoas que tiveram sucesso na área de interesse dele que possam lhe dar uma visão sobre o próximo passo a ser tomado. Suas palavras podem dar a coragem necessária para esse primeiro passo. A maioria de nós tem mais potencial do que aquele que desenvolveremos. Muitas vezes, o que nos impede é a falta de coragem. Um cônjuge amoroso pode ser esse importante catalisador.

O marido de Julia não somente lhe deu palavras de incentivo, mas também agiu de modo que a apoiasse, o que é uma segunda forma de ajudar seu cônjuge a alcançar êxito. Ele não apenas se dispôs a cuidar das crianças uma vez por semana enquanto Julia fazia aulas de canto, como também concordou em usar os recursos financeiros da família para ajudá-la a realizar o sonho da esposa. Uma das queixas mais comuns de maridos e esposas que chegam ao meu consultório de aconselhamento é esta: "Meu cônjuge não me apoia". Eles às vezes acrescentam: "Acho que ele[ela] está contra mim, e não a meu favor".

Agora tenho de admitir que algumas vezes essa "falta de apoio" é outra forma de dizer: "Meu cônjuge não concorda com todas as minhas ideias malucas". Existem pessoas sonhadoras que, no entanto, nunca trazem seus sonhos para a realidade. Elas se aventuram em um negócio e perdem uma quantia razoável de dinheiro, depois não conseguem entender por que o cônjuge não está preparado para embarcar na próxima aventura ao lado delas.

Todavia, há formas de dar apoio mesmo que seu cônjuge seja um sonhador fora da realidade. Não estou sugerindo que você deva apoiar cegamente seu cônjuge em uma empreitada que, em sua opinião, está fadada ao fracasso. Entretanto, você pode dizer algo do tipo: "Mais que qualquer coisa, quero ver você ter sucesso na vida. Estou animado por ver que você tem sonhos. Ao mesmo tempo, não quero ver você fracassar novamente. Portanto, vou lhe dar muito apoio nesta ideia, mas quero que você converse com o banco ou com alguém que possa lhe dar boas informações sobre esta iniciativa antes de você entrar nela. Sei que se continuar a investir em negócios que não dão certo, no final você desanimará. Não quero que isso aconteça. Desejo que você tenha sucesso, por isso vamos de antemão nos munir de todo o conhecimento possível. Depois tomamos juntos a decisão de investir ou não". Nessa afirmação, você está expressando seu desejo de dar apoio da forma mais responsável.

Muitas ações que visam a dar suporte revelam a diferença entre sucesso e fracasso. Quando sua esposa expressar um desejo de participar de um programa para redução de peso, não diga o que certo marido disse: "Não temos condições para isso. Por que você não para de comer?". Uma atitude dessas em nada apoia e, ao mesmo tempo, não só mina o sonho dela, mas também o casamento. Para ajudar seu cônjuge a ter sucesso é preciso tempo, energia, esforço e, por vezes, sacrifício de sua parte.

Tenho uma dívida eterna para com minha esposa pelo fato de ter me apoiado quando voltei a fazer pós-graduação. Ela cuidou de nossas filhas pequenas enquanto eu trabalhava meio período e ia à escola. Vivíamos na pendura. Por três anos ela nunca comprou um par de sapatos ou um vestido novo para ela. Os sacrifícios dela permitiram que eu concluísse a pós-graduação. Gosto de pensar que todo sucesso que tenho experimentado lhe dá muita satisfação, sabendo que ela é, em grande parte, responsável por meus êxitos. Aliás, ela agora tem muitos sapatos e vestidos.

Que desejos seu cônjuge têm expressado? Que ações que servem de apoio seriam necessárias de sua parte para ver tais sonhos realizados? Por que não expressar a disposição em ajudar seu cônjuge, com incentivo e com ações que mostrem apoio? Poucas coisas dão maior alegria do que ver seu cônjuge alcançar o potencial dado por Deus e para fazer o bem.

Quatro maneiras práticas para ajudar seu cônjuge a ter sucesso

1. Dê palavras de incentivo.
2. Faça algo que dê apoio.
3. Dê apoio emocional.
4. Demonstre respeito por seu cônjuge.

Recentemente conheci um marido cuja esposa é palestrante. Ele disse: "Abri mão de meu emprego para poder viajar com ela. Cuido de seus livros, fitas e bagagens. Minha maior alegria é vê-la fazer aquilo de que mais gosta. Sinto que, ao servi-la, estou servindo a Deus". Aqui está um marido que descobriu a alegria de ajudar a esposa a conseguir sucesso.

Uma terceira maneira prática para ajudar seu cônjuge a alcançar sucesso é dando apoio emocional. As emoções — positivas e negativas — são dádivas de Deus. Como a vida seria triste se não fôssemos capazes de sentir. Tente imaginar-se assistindo a um pôr do sol, um jogo de futebol, ou contemplando o oceano sem nenhuma emoção. Seríamos menos que humanos se não tivéssemos sentimentos. Fomos criados à imagem de Deus, e parte do que isso significa é que somos criaturas emotivas.

Ao contrário dos pensamentos, os quais perfeitamente podemos controlar, as emoções estão longe de ser controladas. Os sentimentos são reações espontâneas, internas e pessoais ao que se passa em nosso redor ou ao que nos aconteceu no passado. Os sentimentos são tão comuns como nossa respiração, mas muitas pessoas falam de sentimentos como se fossem inimigos. Às vezes ouvimos pessoas dizer coisas do tipo: "Minhas emoções estão para me destruir".

Por que fazemos oposição às nossas emoções? Uma razão para isso é que já vimos tantas outras pessoas seguir suas emoções e depois colher destruição. Elas fizeram o que tiveram vontade de fazer, e todos a sua volta sofreram.

Outra razão para não confiarmos em nossos sentimentos é que sabemos que eles mudam. Eles tanto nos põem para cima quanto nos põem para baixo. Nossos altos não duram, e nossos baixos parecem durar uma eternidade. Concluímos que as emoções não são confiáveis e, portanto, acreditamos que devemos viver sem depender delas se quisermos obter sucesso. Talvez a principal razão para considerarmos as emoções como inimigos é que as emoções negativas não parecem combinar com o retrato de "um cristão feliz". Raiva, medo, desapontamento, solidão, frustração, depressão e tristeza não combinam com o estereótipo de uma "vida cristã bem-sucedida". Mas você já pensou que Jesus, como homem, experimentou toda emoção humana — até as negativas? Isso significa que Jesus não teve sucesso? Dificilmente! As emoções não são intrinsecamente boas ou más — os sentimentos são moralmente neutros. É o que fazemos em resposta aos sentimentos que os caracteriza como maus ou bons, pecaminosos ou corretos. Em resposta à raiva, Jesus expulsou do templo em Jerusalém os cambistas e os animais — um ato muito justo diante da sua raiva pelo pecado.

Deus quer que as emoções negativas e positivas sejam instrumentos motivacionais que nos façam seguir em uma direção positiva. Todas as emoções que experimentamos são *boas* se nos levarem na direção certa. As emoções em si são neutras; os resultados é que serão positivos ou negativos.

Muitos cristãos têm a tendência de negar suas emoções negativas. Ou seja, muitos cristãos não estão dispostos a aceitar o fato de que têm sentimentos negativos. Outros tentam deixar as emoções negativas para trás e desprezá-las. É muito mais eficaz identificar e aceitar nossos sentimentos para depois procurar formas construtivas de reagir a eles. Os sentimentos são como termômetros. Eles informam se estamos quentes ou frios, se tudo está bem ou não tão bem assim. Se tudo estiver bem, então podemos comemorar. Se as emoções mostram que nem tudo está bem, podemos agir de forma positiva para corrigir a situação.

Dar apoio emocional para seu cônjuge começa com a atitude de admitir as emoções positivas e negativas. Significa comemorar as emoções positivas e aceitar as emoções negativas. Usando uma expressão bíblica, é "alegrar-se com os que se alegram e chorar com os que choram".[6] Por causa das diferenças de personalidade, por vezes achamos isso difícil. Lembro-me da mulher que disse para mim no consultório de aconselhamento: "Não entendo meu marido. Nosso bebê ficou doente nos últimos três meses. Minha mãe está lutando contra um câncer. O futuro do emprego dele é incerto. Contudo, ele chega em casa animado porque conseguiu um aumento salarial de cinquenta centavos por hora".

Por causa da personalidade dessa mulher — sua tendência de se concentrar nas coisas negativas —, ela teve dificuldade

[6]Romanos 12:15 (grifo do autor).

para se alegrar com o marido pelo pequeno sucesso dele. Em vez disso, ela lhe disse: "O que há de bom nisso se você vai perder o emprego daqui a três semanas?". Ele a censurou por ser tão negativa, saiu da sala e, depois, ficou em silêncio pelo resto da noite. Como as coisas poderiam ter sido diferentes se ela tivesse dado apoio emocional, dizendo algo do tipo: "Querido, isso é maravilhoso. Deve significar que o pessoal da firma gosta do modo pelo qual você conduz seu trabalho. Estou muito orgulhosa de você, independentemente do que aconteça no futuro". Comemorando o pequeno sucesso dele, ela o motivaria a buscar sucessos maiores. Dando apoio emocional, ela estaria ajudando o marido a obter sucesso.

Quando seu cônjuge tiver emoções negativas — como raiva, desapontamento, depressão ou tristeza —, você pode dar apoio emocional ao aceitar essas emoções e ao expressar o sentimento de que você acredita no cônjuge. Myra chegou em casa do consultório médico e disse para o marido, Mike: "O médico disse que posso perder o bebê. Não saberemos em uma ou mais semanas, mas as coisas não parecem boas. Eu me sinto tão desanimada. Esperava que desta vez tudo estivesse bem. Não sei o que há de errado comigo". Ela estava sentindo desapontamento, frustração e tristeza, além de concentrar a culpa em si mesma.

Se Mike deseja dar apoio emocional, pode dizer: "Entendo por que você se sente desapontada. Eu me sinto assim também. É frustrante, já que nós dois tentamos tanto. No entanto, quando você diz: 'Não sei o que há de errado comigo', parece que você está se culpando. Acho que se estivesse no seu lugar, eu me sentiria da mesma forma, mas quero que você saiba que não é assim que vejo as coisas. Acho que você fez tudo certo. Acho que se alguma coisa acontecer a este bebê, teremos de confiar em Deus. Só quero que você saiba que eu a amo e vou ajudá-la a passar por esta experiência. Vamos orar juntos".

Mike está dando apoio emocional para Myra. Ele está deixando que ela tenha sentimentos de desapontamento e tristeza. Ele está aceitando os sentimentos dela com as palavras: "Se estivesse no seu lugar, eu me sentira da mesma forma". Todavia, ele está sendo honesto com relação à própria perspectiva e está assegurando à esposa que lhe dará apoio, não importa o que aconteça. Esse é o tipo de apoio emocional que muitas vezes faz a diferença entre sucesso e fracasso.

Uma quarta forma de estimular o sucesso de seu cônjuge é expressando por ele respeito. Uma vez que nós fomos criados à imagem de Deus, somos criaturas de grande valor: homens e mulheres. Algo lá em nosso íntimo afirma que somos criaturas de respeito e dignidade, que a marca de Deus está em nós. Por conta disso, palavras e condutas degradantes fazem com que nos sintamos violados. Quando palavras e ações afirmam nosso valor inerente, nós nos sentimos respeitados.

O respeito começa com uma atitude: "Reconheço que você é uma criatura de extremo valor. Deus dotou-o com certas habilidades, percepções e dons espirituais. Portanto, respeito você como pessoa. Não degradarei seu valor fazendo observações críticas sobre seu intelecto, sua opinião ou sua lógica. Procurarei entendê-lo e dar a você a liberdade de pensar diferente do meu modo de pensar e experimentar emoções que talvez eu não tenha".

Uma atitude de respeito abre o caminho para que você *mostre* respeito por seu cônjuge. Ter respeito não quer dizer que você concorda com tudo, mas significa que dá ao seu cônjuge a liberdade para ser um indivíduo. Duas pessoas não são iguais na maneira de pensar e sentir. O respeito diz: "É uma forma interessante de ver a questão", e não: "Isso é a coisa mais idiota que já ouvi". Muitas vezes me surpreendo com o modo desumano pelo qual muitos cônjuges tratam um ao outro. Lembro-me de um homem que disse para a esposa: "Não posso acreditar que você, sendo uma pessoa com nível superior, pense de forma tão ilógica". Afirmações degradantes como essas criam animosidade, e não respeito.

Permitir que seu cônjuge seja a pessoa que Deus o criou para ser é o primeiro passo para expressar respeito. Tentar discutir para levar o cônjuge a concordar com seus próprios pontos de vista mostra desrespeito. Mostrar respeito é procurar os *dons* que Deus deu ao seu cônjuge e afirmar e incentivar a singularidade dele. O respeito dá às pessoas a liberdade para serem quem são, pensarem o que pensam e sentirem o que sentem. A esposa não espera que o marido concorde com ela o tempo todo, mas também não espera que ele considere *estúpidas* as ideias dela. O marido sabe que nem sempre está certo, mas não quer ser chamado de *mentiroso.*

Podemos expressar nossas divergências com respeito. A esposa pode dizer para o marido: "Querido, não concordo com você, mas sei que existem boas razões para você ver as coisas desta forma. Quando você tiver tempo, eu gostaria de ouvir mais suas considerações sobre isso". O marido pode dizer para sua esposa: "Desculpe-me por tê-la magoado. É claro que essa não era minha intenção. Podemos conversar?".

Conheci Jonathan em Tuscaloosa, no Alabama. Ele participou de meu seminário sozinho. Em um dos intervalos, ele me disse: "Como posso respeitar minha esposa se ela não leva uma vida de respeito? Lisa foi infiel a mim por, no mínimo, duas vezes, e não sei exatamente o que está se passando agora. Perdi todo o respeito por ela".

Jonathan levanta uma questão muito importante. Nem todos levam uma vida que merece respeito, contudo, ainda assim, podemos respeitar o valor inerente da pessoa. Embora não pudesse respeitar o estilo de vida pecaminoso de Lisa, ele ainda podia respeitá-la, não pelo que ela fazia, mas por quem ela é. Independentemente do comportamento dela, Lisa foi criada à imagem de Deus e, por isso, é extremamente preciosa. Devemos reconhecer que Deus deu as suas criaturas a liberdade de escolha. Mesmo quando as pessoas fazem escolhas infelizes, isso não diminui o valor delas como seres humanos.

Quando a esposa de Jonathan pecou contra ele, isso entristeceu não só o coração dele, mas também o coração de Deus, e por uma razão simples: Deus e Jonathan amam Lisa, e ambos sabem que o comportamento dela é prejudicial a ela própria e ao relacionamento dos dois com ela. No entanto, se Jonathan humilhá-la, dizendo: "Não posso acreditar que você fez isso. Você não presta. Odeio você", ele não a está incentivando a obter sucesso, mas fracasso. Lisa não é uma pessoa que não presta. Ela é criatura de Deus por quem Jesus morreu. Ela tem um grande potencial para fazer o bem e precisa do toque redentor de Deus.

Como Jonathan poderia mostrar respeito pela esposa em meio às falhas dela? Ele poderia dizer: "Tenho certeza de que você sabe que seu comportamento está me magoando profundamente. Mas o que realmente me preocupa é que sei que esse comportamento seu, por fim, vai magoá-la — e eu me preocupo com você. Para mim, você é uma pessoa maravilhosa com um grande potencial, e quero ajudá-la a atingir esse potencial. Sei que é você quem deve tomar as próprias decisões. Não estou tentando controlar sua vida; estou apenas dizendo quanto a valorizo e quanto a amo".

O respeito de Jonathan pelo valor inerente de Lisa como ser humano pode levá-la a se valorizar — e, finalmente, ela pode voltar para Deus e para Jonathan. Se isso acontecer, ele terá a alegria de lhe perdoar e de cooperar com Deus para ver a vida da esposa redimida. Em seu casamento, ele terá o prazer de ver o gelo e a neve do inverno derreter quando os ventos cálidos da primavera começarem a sopram.

Independentemente da estação em que se encontra seu casamento, quando você descobrir a alegria de ajudar o cônjuge a obter sucesso, começará a estabelecer ou restaurar a saúde emocional, o respeito, o apoio e o incentivo em sua vida conjugal. Ver o cônjuge alcançar sucesso é uma das grandes alegrias do casamento. Tenho a convicção de que o casamento está baseado no princípio divino segundo o qual melhor é serem dois do que um. No começo, Deus disse: "Não é bom que o homem esteja só".[7] A resposta de Deus para a solidão de Adão foi a criação de Eva e a instituição do casamento. A intenção de Deus era que os dois se tornassem "uma só carne". Isso não significa que, no casamento, perdemos nossa identidade como indivíduos, mas significa que optamos por entregar nossa vida pelo bem do outro. Quando isso acontece, nós dois obtemos sucesso. Juntos, realizamos muito mais coisas do que poderia realizar cada um de nós sozinho. O principal objetivo do casamento não é o sexo ou a felicidade, nem o amor. O principal objetivo do casamento é que marido e esposa ajudem um ao outro a cumprir o propósito para o qual Deus os criou. Quando isso acontece, ambos os cônjuges experimentam a alegria maior de cooperar com Deus para cumprir os propósitos dele.

[7]Gênesis 2:18.

ESTRATÉGIA Nº 6

Aproveite ao máximo suas diferenças

Na estação do outono no casamento, nossas diferenças começam a ficar maiores; na estação do inverno, elas se apresentam como paredes de gelo entre nós. Por exemplo, quando o casamento de Gerald estava na estação do outono, ele se irritava um pouco com a maneira pela qual Marcie colocava a louça na lavadora; mas quando chegou o inverno, ele ficava furioso toda vez que abria a lavadora de louça e via a bagunça.

No plano de Deus, o propósito de nossas diferenças nunca foi o de separar-nos. Na verdade, Deus é o autor da diversidade. Não existem dois flocos de neve, impressões digitais ou folhas de uma árvore exatamente iguais. Quando criou o gênero humano, Deus inseriu em nossa estrutura genética o potencial para uma diversidade ilimitada. Quando instituiu o casamento como uma união de dois indivíduos únicos, ele sabia que estava criando da diversidade uma unidade. Não apenas somos diferentes porque somos homens e mulheres, mas também somos diferentes em cada aspecto da vida.

Faça um passeio a pé com seu cônjuge e logo vai perceber que você anda em um passo diferente e de um jeito diferente.

Sente-se para descansar e verá que vocês dois se sentam de modo diferente. Puxe uma conversa e você descobrirá que os pensamentos de ambos são extremamente diferentes. Comece a fazer uma tarefa como, por exemplo, cortar a grama, passar o aspirador de pó no tapete ou trocar a fralda do bebê e você notará que cada um de vocês tem um método único.

Nossa personalidade também é diferente. Um cônjuge pode ser otimista, enquanto o outro é pessimista. Um é quieto; o outro é comunicativo. Um é lógico e metódico; o outro é intuitivo. Um tende a ser organizado, com todas as coisas no devido lugar; o outro leva metade da vida para encontrar as chaves.

Depois de anos de discussão sobre diferenças, em que cada um tenta convencer o outro de que seu jeito é o melhor, muitas vezes os casais concluem que são incompatíveis. Na realidade, a razão alegada para o divórcio é, com frequência, incompatibilidade — ou "diferenças irreconciliáveis". Depois de trinta anos no aconselhamento de casais, estou convencido de que não há diferenças irreconciliáveis, somente pessoas que se recusam a se reconciliar.

Na mente de Deus, nossas diferenças têm por objetivo se completarem, e não causarem conflitos. Esse princípio é demonstrado pela igreja, descrita em 1Coríntios 12 como semelhante ao corpo humano — composta de orelhas, olhos, pernas, pés, mãos, braços e assim por diante. Cada membro da igreja é visto como uma parte importante do corpo. Quando todos trabalham em unidade, cada parte aperfeiçoa as outras e, juntas, elas servem ao propósito de Deus.

Do mesmo modo, na instituição do casamento a intenção de Deus é que marido e esposa juntem suas características únicas para formar uma equipe que trabalhará em conjunto, sob a direção de Deus, a fim de cumprir os propósitos eternos dele. Deus intentou nossas diferenças para que fossem vantagens, e não deficiências. Quando aprendemos a tirar o maior proveito de nossas diferenças para o bem do casamento, alinhamos nossa vida aos propósitos de Deus. A Bíblia chama isso de unidade conjugal.[1] Quando cada um dos cônjuges reconhece e afirma a singularidade do outro, as diferenças consolidam o casal em uma equipe imbatível.

Então, como usamos essa realidade em nosso casamento? Como "tiramos o maior proveito de nossas diferenças" para sairmos do outono ou inverno e passarmos para a primavera ou verão?

Identifique suas diferenças

O processo começa com a identificação de suas diferenças. Se você e seu cônjuge quiserem tirar o maior proveito de suas qualidades únicas, ambos precisarão saber em que aspectos vocês dois são diferentes. Essa não é uma tarefa difícil, mas vai requerer certo tempo e reflexão. As diferenças mais visíveis serão aquelas que se mostram as mais irritantes. Portanto, uma maneira de identificar as diferenças é fazer uma lista de todas as coisas que o irritam no cônjuge. Uma vez terminada a lista, faça para si mesmo estas duas perguntas: "Por que estas coisas me irritam? "Que diferenças estas irritações revelam?".

Na maioria dos casos, você fica irritado porque seu cônjuge não faz algo da forma pela qual você faria. Você e seu cônjuge são simplesmente diferentes nessas áreas e, até este momento, em seu casamento, você via tais diferenças como irritações. Mas observemos a questão um pouco mais a fundo

[1]Gênesis 2:24.

para identificarmos as diferenças que essas irritações revelam. Por exemplo, por que Gerald se irritava com a maneira pela qual Marcie colocava a louça na lavadora? Muito provavelmente porque ele tem a tendência de ser organizado em sua abordagem de vida, enquanto Marcie tem a tendência de ser espontânea — uma diferença comum observada em muitos casais. Essa diferença vai manifestar-se não somente na maneira de ambos colocarem a louça na lavadora, mas também em outros aspectos da vida.

A seguinte lista de diferenças comuns entre marido e esposa pode ajudá-lo a identificar algumas das diferenças em seu próprio casamento:

1. Os comunicativos muitas vezes se casam com pessoas quietas e pensativas.
2. Os que se levantam cedo frequentemente se casam com os que "não madrugam".
3. Pessoas que "gostam de fazer as coisas acontecer" muitas vezes se casam com pessoas que gostam de ver o que acontece.
4. Pessoas que se baseiam na filosofia: "Um lugar para tudo e tudo em seu lugar", não raro, se casam com aquelas cuja pergunta mais comum é: "Onde está...?".
5. Os que gostam de fazer planos muitas vezes se casam com pessoas que querem cuidar dos detalhes à medida que eles vão aparecendo.
6. Os caseiros comumente se casam com os festeiros.
7. As pessoas que dizem: "Vamos ser lógicos", muitas vezes, se casam com as que dizem: "Mas não parece certo".

8. Mãos-de-vaca muitas vezes se casam com pessoas que gostam de gastar, que dizem: "Você não poderá levar seu dinheiro com você".
9. Leitores ávidos muitas vezes se casam com viciados em televisão.
10. Corredores muitas vezes se casam com nadadores.
11. Os que pulam os comerciais de televisão não raro se casam com os que assistem aos comerciais.
12. E, de algum modo, fanáticos por música sertaneja se casam com amantes de sinfonias.

Estou certo de que você pode somar-se a essa lista, mas talvez ela servirá para ajudá-lo a identificar suas diferenças.

Procure as vantagens em suas diferenças

Toda diferença tem um lado positivo. Não precisamos ver nossas diferenças como irritações. Por exemplo, Joe é por natureza um viciado em televisão. A esposa dele, Millie, não para; ela está sempre fazendo alguma coisa. Raramente se senta. Antes, ela achava Joe preguiçoso; ele a via como uma mulher nervosa que não conseguia relaxar. Ambos muitas vezes discutiam sobre essa diferença, mas na maior parte do tempo, simplesmente, conviviam com um leve ressentimento de um pelo outro. Em meu consultório, Joe disse: "Por que ela não consegue relaxar e aproveitar a vida? A vida é curta; não precisamos trabalhar o tempo todo". Millie respondeu: "Mas há tanta coisa que precisa ser feita. Não dá para acreditar que ele consiga se sentar ali e assistir à televisão e deixar tudo para eu fazer".

Que diferença tais irritações revelam? Ao que parece, Joe naturalmente tende para uma abordagem mais relaxada e tranquila da vida, enquanto Millie é, por natureza, uma ativista e tende para uma conduta muito meticulosa. O lema dela é: "Por que ficar sentado se você pode, em lugar disso, fazer algo produtivo?". O lema de Joe é: "Por que trabalhar quando você pode relaxar?".

Agora que essa diferença foi identificada, procuremos as vantagens. Qual é o lado positivo da abordagem de vida de Joe? Ele me faz lembrar o antigo provérbio: "Nem só de pão vive o homem". Joe põe em discussão a ideia de que se deve aproveitar a vida, que é preciso haver equilíbrio entre trabalho e descanso. Casualmente, a Bíblia dá um forte apoio a essa atitude. O próprio Deus trabalhou seis dias e descansou no sétimo, e ele nos instrui a fazer o mesmo.[2] As Sagradas Escrituras também dizem que a vida envolve um equilíbrio entre inúmeras atividades. "Tudo fez Deus formoso no seu devido tempo."[3]

Todavia, que vantagem Millie traz à equação? A abordagem de vida dela faz-nos lembrar que cada um de nós tem uma responsabilidade séria para com o trabalho. "A vida não é um mar de rosas"; é preciso disciplina e determinação. A Bíblia apoia essa ideia. O apóstolo Paulo disse: "Se alguém não quer trabalhar, também não coma".[4] As Sagradas Escrituras também alertam contra os perigos da ociosidade.[5] Ao procurarmos o lado positivo de nossas diferenças, damos um passo no caminho de maximizar nossas diferenças.

E o que dizer das diferenças que envolvem comportamento imoral? Por exemplo, ele mente; ela não. Para ela, as mentiras dele são irritantes, e ele acha o compromisso dela

[2]Levítico 23:3.
[3]Eclesiastes 3:1-11.
[4]2Tessalonicenses 3:10.
[5]Provérbios 19:15; 31:27.

com a verdade igualmente irritante. Tenho a convicção de que não há vantagem no comportamento imoral. Tal comportamento requer arrependimento e perdão, que por sua vez (e na hora certa) levam à reconciliação. Discutimos esse processo como parte da Estratégia nº 1, quando falamos a respeito de lidar com as falhas do passado.

Grande parte das diferenças que nos irritam no curso normal da vida não envolve imoralidade. Elas são simplesmente expressões de nosso ser único, e existe sempre um lado positivo em nossa singularidade. Se quisermos maximizar nossas diferenças no casamento, devemos procurar as vantagens.

Aprenda com suas diferenças

Lembre-se de que o intento de Deus para nossas diferenças é que se complementem. Elas não têm por objetivo separar-nos, mas unir-nos. Peça a Deus que lhe mostre o que você precisa aprender com suas diferenças. Millie precisa aprender que a vida é mais do que trabalho. Para o bem de sua saúde mental e conjugal, talvez ela precise separar um tempo para se sentar com Joe e relaxar enquanto ambos assistem a um filme. Talvez ela possa aprender mais sobre o ritmo do trabalho e o descanso. Essa atitude enriquecerá a vida dela e o casamento. Entretanto, talvez Joe possa aprender que, tal qual um marido que cuida da esposa como Cristo cuida da igreja, ele precisa tomar mais iniciativa para ajudá-la a fazer as coisas que envolvem a casa. Se ele tomar a atitude de servo de Cristo, poderá perguntar a ela: "O que eu poderia fazer para ajudá-la nesta noite?". Fazer coisas assim antes de sentar para relaxar pode tornar mais fácil para ela se sentar com ele.

Sempre há sempre lições a ser aprendidas com nossas diferenças. Nenhum de nós chegou ao ápice da maturidade cristã. A intenção de Deus é que o casamento estimule nosso crescimento espiritual, intelectual e emocional. Quando procurarmos as lições em nossas diferenças, nós as encontraremos e nos beneficiaremos com elas.

Troque condenação por afirmação

Um aspecto fundamental enquanto aprendemos com nossas diferenças é trocar condenação por afirmação. Quando vemos nossas diferenças como irritações, normalmente fazemos sermões que condenam nosso cônjuge: "Não dá para acreditar que você seja tão preguiçoso" ou "Por que você não pode se sentar e relaxar comigo? Por que você sempre tem de fazer alguma coisa?". Tais críticas perpetuam a estação do inverno no casamento e levantam blocos de gelo de ressentimento.

No entanto, se nós entendemos que nossas diferenças têm por objetivo ser positivas, e não negativas, podemos trocar as palavras de condenação por palavras de afirmação. Millie pode começar dizendo: "Sei que me descontrolei com você no passado com relação ao tempo que você passa em frente da televisão e ao fato de não me ajudar com as coisas da casa. Mas estou começando a perceber que Deus fez-nos diferentes para um fim, e preciso aprender com você a relaxar e aproveitar mais a vida, e não ficar obcecada por fazer tudo. Por isso quero agradecer-lhe o fato de ser a pessoa que você é". Tal afirmação pode até arrancar um abraço de Joe. Seja qual for a resposta dele, agora ele se sente mais aceito pela esposa.

Joe pode começar dizendo: "Sei que anteriormente critiquei você por estar sempre fazendo algo, sem nunca parar para sentir o perfume das rosas. Mas estou começando a perceber que Deus fez-nos diferentes para um fim, e quero que você saiba que aprecio todo seu empenho e seu modo de fazer com que as coisas continuem a seguir tranquilamente por aqui. Sei que você gostaria que eu ajudasse de vez em quando, e quero fazer isso com mais frequência".

Ambos os cônjuges em um casamento precisam sentir-se apreciados, em vez de condenados. A afirmação mútua cria uma atmosfera para mudanças positivas. Por ora, com certeza você começou a ver como as várias estratégias podem funcionar juntas para fazer um casamento sair de uma estação de outono ou inverno e ir para a primavera ou verão. Independentemente de seu ponto de partida, há sempre um primeiro passo positivo que você pode dar para começar a mudar a estação de seu casamento.

Descubra um plano para maximizar suas diferenças

Agora que você já definiu um padrão de afirmação e cooperação, pode começar a explorar um plano para maximizar suas diferenças. Dessa forma, Millie, ao perceber que precisa ter um estilo de vida mais equilibrado, pode se oferecer para passar trinta minutos por noite no sofá com Joe, conversando ou assistindo à televisão com ele — simplesmente, procurando relaxar e esquecer as preocupações do dia. E Joe poderia dizer para Millie: "Sei que preciso ajudar mais você com as coisas da casa. Antes eu me ressentia com o fato de que você estava sempre fazendo alguma coisa e nunca tinha tempo para mim. Realmente quero ajudá-la; só não queria passar a noite toda trabalhando. Mas, como quero ter a atitude de Cristo, por que não identificamos algumas coisas que eu poderia fazer para ajudá-la mais, para que nós dois possamos ter tempo para relaxar juntos?". Com essa atitude, Joe e Millie aprenderão a maximizar suas diferenças. Ao fazerem isso, eles não somente serão uma equipe compatível, mas cumprirão, de modo mais efetivo, os propósitos que Deus tem para a vida de cada um.

Agora, de volta a Gerald, que colocava a louça na lavadora como um engenheiro, e Marcie, que fazia isso como se estivesse jogando *frisbee*. A personalidade de Gerald é forte na organização, enquanto a de Marcie é forte na espontaneidade. Como eles poderiam maximizar suas diferenças? Talvez pudessem concordar que Gerald seria o membro da equipe que colocaria a louça na máquina, pois o método dele tende a render pratos mais limpos e menos copos quebrados. Nas noites em que ele tiver reunião e Marcie precisar utilizar a lavadora de louça, ele a deixa livre para fazer isso do modo dela. Ele sabe que, ao esvaziar a máquina na manhã seguinte, poderá encontrar colheres ainda cheias de pasta de amendoim e talvez um ou dois copos trincados; mas percebe que esses problemas não são o fim do mundo. As colheres sujas podem ficar dentro da xícara que ela esqueceu de colocar na lavadora, e os copos podem ser substituídos. Afinal, ele está casado com uma mulher espontânea que deixa sua vida emocionante. É um pequeno preço que se tem de pagar por tal tesouro. Maximizar nossas habilidades e minimizar nossos pontos fracos faz parte do processo que nos leva à época da primavera no casamento.

Cinco passos para maximizar suas diferenças
1. Identifique suas diferenças.
2. Procure vantagens em suas diferenças.
3. Aprenda com suas diferenças.
4. Troque palavras de condenação por palavras de afirmação.
5. Descubra um plano para maximizar suas diferenças.

O que acontece se seu cônjuge não estiver disposto a se empenhar com você para maximizar as diferenças? O que acontece se ele estiver preso a uma maneira de fazer as coisas e nem estiver disposto a discutir as diferenças de vocês? Nem tudo está perdido. Você ainda tem o poder da influência. No próximo capítulo, quero ajudá-lo a aprender a usar sua influência de modo positivo. Mesmo que seu cônjuge, inicialmente, não participe nem colabore, você ainda pode criar mudanças positivas no casamento.

ESTRATÉGIA Nº 7

Implemente o poder da influência positiva

Se seu casamento estiver na estação do inverno ou outono, você provavelmente estará lendo este livro sozinho. Você gostaria que seu cônjuge o lesse. Gostaria que ele se dispusesse a implementar as estratégias que fariam o casamento rumar para as estações da primavera e do verão. Mas com base em experiências do passado e nas atuais circunstâncias, você tem pouca esperança de que ele fará isso.

Todd, que está casado há catorze anos, expressou sua frustração:

> Eu me sinto preso em tantos sentidos. Não importa o que eu diga, isso sempre leva a problemas. Estou muito preocupado com meu casamento, porque investi tanto. Minha esposa foi trabalhar no ano passado, o que ajuda; mas ela leva serviço para casa, e me sinto como se não tivesse o que dizer sobre o assunto, e contudo ela tenta controlar todos os detalhes de minha vida. Acho que você pode ler toda essa frustração no que escrevo. Guardo rancor por ela. Não estamos lidando com os problemas, e estou cansado de ouvir sempre a mesma conversa. Quero ter um casamento melhor, mas não tenho certeza

> de que isso vai acontecer. Estou muito preocupado. É por isso que vim para este seminário, mesmo sem a companhia dela.

Sonya expressou o mesmo sentimento de desesperança. Este é o terceiro casamento dela, o qual já soma três anos e meio.

> No momento, nosso casamento está na estação do outono. Isso está causando muita ansiedade. A presença da raiva está paralisando nosso relacionamento. Os conflitos com relação às crianças trazem muita tristeza. Às vezes isso arrasa e cria um espírito de derrota. Brigas constantes estão gerando um futuro de incerteza para nós e as crianças. Todas essas emoções extremas trazem medo. Estou muito preocupada com nosso relacionamento. Peço a meu marido que procure aconselhamento, mas ele se recusa. Não sei mais o que fazer.

A Estratégia nº 7 é para pessoas como Sonya e Todd, que estão dispostas a se empenhar no casamento, mas encontram pouco incentivo do cônjuge. Embora esses maridos e esposas sinceramente esperem que as coisas melhorem, muitos deles acreditam que já fizeram tudo o que estava ao alcance para resolver os problemas que os impedem de ter uma união conjugal. A maioria está desanimada com os resultados. Se eles tivessem buscado aconselhamento, isso não resolveria. Se tivessem lido livros, eles os teriam lido sozinhos, querendo que o cônjuge ouvisse o que o autor está dizendo e, com isso, se convencesse a mudar. Alguns tentaram o método da leve confrontação, mas depararam com um público silencioso e sem resposta. Outros, em desespero, tentaram gritar e falar alto. A dor deles foi tão intensa que, verdadeiramente, perderam o controle na tentativa de expressá-la. Os gritos deles em busca de ajuda geraram retaliação e afastamento. Por isso, alguns maridos e esposas conformaram-se com a ideia de que o cônjuge nunca mudaria e lhes restaram apenas duas opções — suportar uma vida de sofrimento ou abrir mão do casamento e esperar algo melhor. Uma vez que optam por uma dessas duas alternativas lamentáveis, eles se tornam prisioneiros da própria decisão. Milhares de pessoas vivem nessas prisões criadas por elas mesmas porque não conseguem entender o poder da influência positiva.

É verdade que você não pode mudar seu cônjuge, mas é igualmente verdade que você pode e consegue influenciá-lo todos os dias. Como somos indivíduos e temos o livre-arbítrio, ninguém pode forçar-nos a mudar nossos pensamentos ou comportamento. Todavia, visto que somos também criaturas feitas para se relacionar, somos influenciados por todos aqueles com quem interagimos. Somos influenciados pelo que ouvimos e vemos. Anunciantes ganham milhões de dólares todos os anos por causa dessa realidade. Eles não nos *fazem* comprar seus produtos, mas nos influenciam. Do contrário, eles deixariam de fazer anúncios.

O poder da influência tem implicações profundas nas estações do casamento. No entanto, devemos, primeiro, reconhecer que não podemos mudar diretamente a personalidade ou o comportamento de nosso cônjuge. Não podemos controlar a maneira de ele pensar ou se sentir nem as palavras que saem da boca dele. Podemos fazer pedidos, mas não temos garantias de que os cônjuges responderão positivamente aos nossos clamores.

Se acaso, por engano, acreditarmos que podemos mudar o comportamento de nosso cônjuge, provavelmente passaremos nosso tempo tentando manipulá-lo. A ideia que se esconde atrás da manipulação é que, se eu fizer *isso*, meu cônjuge será forçado a fazer *aquilo*. Se eu puder deixá-lo feliz o suficiente, ele responderá ao meu pedido; ou, se eu puder deixá-lo triste o suficiente, ele responderá ao meu pedido. No entanto, todo esforço na manipulação, por fim, fracassará por uma simples razão: nosso cônjuge tem a liberdade para escolher sua resposta. No momento em que ele perceber que estamos tentando controlá-lo pela manipulação, ele se rebelará. Ninguém quer ser manipulado ou controlado.

Ainda que não possa controlar diretamente as atitudes e ações de seu cônjuge, você é capaz de influenciá-lo — positiva ou negativamente, por palavras ou por ações. Toda vez que deparar com seu cônjuge, exerça uma sutil influência. Se seu cônjuge entra no quarto e lhe dá um abraço e um beijo, dizendo: "Eu amo você; senti sua falta hoje", ele influenciou você de um modo positivo. No entanto, se o cônjuge entra em casa, não reconhece sua presença e vai direto para o lugar onde está o computador ou a geladeira, ou se entra e imediatamente critica sua aparência ou comportamento, ele influenciou você de um modo negativo. Tudo o que você faz ou diz (ou não faz ou diz) influencia seu cônjuge — para melhor ou para pior. Suas palavras e comportamento podem causar no cônjuge uma enorme dor, mágoa e desânimo (como os ventos gelados do inverno), ou podem ser um suave bálsamo que poderosamente alivia o cônjuge e o conduz a uma mudança positiva (como a brisa suave do verão).

Ao longo dos anos testei essa estratégia com um sem-número de indivíduos em casamentos problemáticos. Quando um marido ou esposa se dispõe a escolher uma atitude positiva que leva a ações positivas, a mudança no cônjuge muitas vezes é radical. Uma mulher disse: "Não posso acreditar no que aconteceu com meu marido. Nunca imaginei que ele pudesse ser tão amoroso e carinhoso como tem sido nos últimos três meses. Essa mudança é muito maior do que eu esperava". O poder da influência positiva inclui um grande potencial de ajudar casamentos problemáticos. No final das contas, você terá exercido um impacto positivo ou negativo sobre seu cônjuge. Qual deles será? A escolha é sua.

Optando por ter um impacto positivo

Se eu saísse da cama somente nas manhãs que realmente tivesse vontade de sair da cama, ficaria cheio de feridas. Contrario meus *sentimentos* quase todas as manhãs e *opto* por levantar-me porque tenho vontade de fazer algo positivo com minha vida. Normalmente, antes do fim do dia, eu me sinto bem por ter me levantado. Minhas escolhas positivas levam a ações positivas que resultam em sentimentos positivos. Eu me sinto bem comigo mesmo porque investi meu dia com sabedoria.

> *Escolhas positivas levam a ações positivas que resultam em sentimentos positivos*

O mesmo princípio se aplica ao casamento. Quando *opto* por ter uma influência positiva em minha esposa, independentemente de como eu possa me *sentir*, minhas escolhas positivas levam a ações positivas que resultam em sentimentos positivos — para mim *e* para minha esposa. Optar por implementar o poder da influência positiva é bom para a própria saúde mental, além do impacto positivo que isso terá sobre seu cônjuge.

Por onde começamos? Talvez você possa identificar-se com a mulher que me disse: "Nosso casamento tem ido tão mal há tanto tempo, que não sei por onde começar". O primeiro passo em qualquer mudança positiva é reconhecer e admitir que você tem uma escolha. Você não precisa se deixar controlar pelas próprias emoções — ou pelas emoções de seu cônjuge. Nem precisa responder da mesma forma às mesmas provocações de sempre. Você pode escolher uma resposta diferente. Ainda que o maior obstáculo no casamento seja seu comportamento e atitudes do passado, você não precisa se prender a isso. Só porque você "fez sua cama" não significa que tem de deitar nela. Você pode optar por levantar-se e fazer um investimento positivo em seu casamento.

Talvez você esteja magoado, desapontado, frustrado ou até irritado no casamento, mas não é necessário que tais emoções controlem seu comportamento. As emoções devem ser reconhecidas e processadas, mas não devem ser o fator que controla nossa vida. Se permitirmos que os sentimentos de raiva controlem nosso comportamento, poderemos acabar com palavras críticas e de condenação ou agressões físicas. Todavia, podemos dizer para nós mesmos: "Estou irritado. Estou magoado, desapontado e frustrado. Mas quero ter uma influência positiva sobre meu cônjuge e me recuso a ser controlado por essas emoções". A mudança positiva começa com escolhas positivas.

Uma vez que se decidiu pela implementação do poder da influência positiva em seu casamento, você está pronto para começar a utilizar as outras seis estratégias discutidas neste livro. Depois de trinta anos no aconselhamento de casais, não conheço abordagem melhor que esta.

Imaginemos por um instante o cenário do pior caso: seu cônjuge não está disposto a ler este livro, não está disposto a procurar aconselhamento, não está disposto nem a falar sobre a relação conjugal e parece totalmente fechado à ideia de melhorar seu casamento. Talvez ele até critique seus esforços. Se esse for o caso, é possível que você esteja sentindo todas as emoções do inverno e do outono. Não o estou encorajando a negar tais sentimentos. Pelo contrário, eu o estou encorajando a admitir esses sentimentos, mas não ser controlado por eles.

A decisão de implementar o poder da influência positiva pode ser a decisão mais importante que você já tomou no casamento. Portanto, eu o estou convidando a se juntar a mim para considerarmos novamente as primeiras seis estratégias, observando-as pela perspectiva de alguém em sua situação. No momento, seu cônjuge pode não estar disposto a se juntar a você nessa jornada, mas quero que você reconheça que ele não poderá impedi-lo de fazer a jornada. Enquanto estivermos na jornada, vou apresentar-lhe indivíduos que experimentaram essas estratégias e colheram os benefícios.

Estratégia nº 1: Resolva as falhas do passado

Anna estava casada havia oito anos quando seu casamento logo se voltou para o inverno. "Acho que ficamos na estação do outono por algum tempo", ela disse. E prosseguiu:

> O problema foi que não reconheci isso. Um dia ouvi sem querer meu marido dizer para alguém ao telefone: "Sentirei saudades também". Sei que não se tratava de uma conversa de trabalho. Em meu coração, eu sabia que ele estava conversando com outra mulher. Eu não queria acreditar nisso, portanto não disse nada a respeito. Mas quando chegou a conta telefônica, conferi os números e descobri várias ligações para um número que eu não reconhecia.
>
> Então, uma noite, o telefone tocou. Eu o atendi e uma senhora pediu para falar com Rob. Eu lhe disse que ele não estava em casa no momento e perguntei se ela gostaria que ele retornasse a ligação. Ela respondeu que sim e passou o número de seu telefone. No mesmo instante comparei os números e descobri que aquela era a mulher com quem Rob falava ao telefone. Quando o confrontei, ele admitiu ser a ligação de uma mulher do trabalho, mas garantiu que não havia tido

relações sexuais com ela — era "apenas amizade". Mas eu sabia que a história não parava por aí. Fiquei tão magoada e irritada. Não podia acreditar que ele tinha me traído. Saí em silêncio. Não conversei com Rob por duas semanas. Depois disse a ele que queria acabar com o casamento, que não podia viver com um homem em quem eu não pudesse confiar. Ele disse: "Você está fazendo tempestade em copo d'água. Não fui infiel a você. Eu lhe disse que era apenas amizade". Eu disse: "Não se telefona para uma pessoa dezesseis vezes em duas semanas e chama isso de amizade. E não sei quantas vezes você telefonou para ela de seu celular". Eu estava furiosa!

No dia seguinte procurei uma conselheira. Não queria deixar Rob sem antes conversar com alguém. Sabia que, por estar tão nervosa, poderia fazer algo que, mais tarde, perceberia ser tolice. Fui à conselheira duas vezes por semana nas três semanas seguintes. Nas primeiras sessões, ela ouviu minha raiva e me ajudou a olhar de modo realista para meu casamento. Ela mostrou que essa situação não aconteceu da noite para o dia. Comecei a perceber que parte do que estava acontecendo era culpa minha. Eu estava tão envolvida com dois filhos na pré-escola que, basicamente, ignorei as necessidades de Rob. Eu o havia criticado muito por não me ajudar da maneira pela qual eu pensava que ele deveria. Fiz esta pergunta para mim mesma: "Se eu fosse homem, será que teria vontade de voltar para casa para encontrar uma mulher como eu?". Minha resposta arrasou-me. Sei que desapontei Rob. Agora, isso não justificava o comportamento dele, mas eu sabia que tinha de lidar primeiro com meu próprio fracasso.

A princípio resisti à ideia. Eu disse: "Mas por que devo confessar minhas falhas se é ele quem está envolvido com outra pessoa?". A conselheira não justificou o comportamento de Rob, mas afirmou que, se quisesse encontrar cura para meu casamento, eu precisava lidar com meu próprio fracasso. Foi uma das coisas mais difíceis que já fiz. Pedi a Deus que me mostrasse onde eu havia falhado com Rob nos últimos oito anos. Deus respondeu àquela oração. Coloquei no papel tudo o que me veio à mente e chorei. Pedi a Deus que me perdoasse e orei pedindo coragem para admitir minhas falhas para com Rob. Depois, minha conselheira ajudou-me a escrever uma declaração de confissão, que incluía uma lista das coisas que Deus trouxe a minha mente.

Certa noite eu disse para Rob: "Sei que me irritei com você nas últimas semanas. Fui fria e dura. Acho que foi porque fiquei profundamente magoada. Mas, como você sabe, estou fazendo aconselhamento e percebi que não foi só você que pecou em nosso relacionamento. Em outra noite, pedi a Deus que me mostrasse em que eu havia falhado. E se você estiver disposto a ouvir, gostaria de compartilhar o que ele me disse. Pedi a ele que me perdoasse e estou pedindo a você que me perdoe também".

Quando li minha lista de falhas, Rob respondeu: "Anna, você está se martirizando. Você está tentando assumir a responsabilidade por minhas falhas. Não há desculpa para o que fiz".

Eu disse: "Rob, agradeço suas palavras. Mas o fato é que todas essas coisas ainda são verdadeiras. Não tenho sido a esposa que você merecia. Com a ajuda de Deus e sua disposição, isso vai ser diferente no futuro".

Continuamos a conversar e, por fim, Rob disse: "Estou disposto a lhe perdoar se você me perdoar. Quero participar com você do aconselhamento, pois sei que posso melhorar nosso casamento". Aquela foi a noite em que as coisas mudaram para nós. Agora fazemos aconselhamento, já faz seis meses. Fizemos um grande progresso. Nossa vida está muito diferente. Estamos aprendendo a suprir as necessidades um do outro, e estou muito animada. Até diria que estamos nos aproximando da época da primavera. E espero logo ver os açafrões. É como você disse: eu não podia mudar Rob, mas podia ter uma influência positiva sobre ele ao lidar com minhas próprias falhas. Sou tão grata pela orientação de minha conselheira, que me ajudou a processar minhas emoções e me pôs na direção certa.

Não quero dizer que, em toda situação, o cônjuge corresponderá ao poder da influência positiva tão rapidamente como aconteceu com Rob. No entanto, creio que lidar de modo positivo com as próprias falhas do passado é o primeiro passo para exercer uma influência positiva sobre seu cônjuge. Você pode tomar o passo da confissão e do arrependimento por suas falhas, e seu cônjuge pode responder-lhe de maneira áspera. Um marido disse: "Experimentei o que você sugeriu e minha esposa disse: 'Se você pensa que uma confissão malfeita vai me fazer mudar de ideia, está enganado. Você me magoou profundamente. Não basta dizer 'sinto muito'". Você não pode controlar a resposta do cônjuge, mas ao confessar as próprias falhas você terá uma influência positiva sobre seu cônjuge, quer isso seja visível, quer não.

A melhor escolha que você pode fazer é lidar com as próprias falhas do passado e deixar os resultados nas mãos de Deus. Independentemente da forma pela qual o cônjuge responderá a sua confissão, você terá uma influência positiva porque terá seguido as instruções de Jesus no que diz respeito a "tirar primeiro a trave do seu olho".[1]

Estratégia nº 2: Escolha uma atitude de sucesso

Se seu casamento estiver no meio do inverno, uma atitude positiva pode fazer toda a diferença. Viktor Frankl, um médico judeu preso pelos nazistas durante a Segunda Guerra Mundial, descobriu o poder de uma atitude positiva no meio de um campo de concentração:

> Nós, que vivemos nos campos de concentração, podemos lembrar dos homens que passavam pelas barracas consolando os outros, repartindo seu último pedaço de pão. Eles podiam ser

[1]Romanos 12:15.

> poucos em número, mas ofereciam prova suficiente de que se pode tirar tudo de um homem, menos uma coisa: a última de suas liberdades — escolher sua atitude em determinada série de circunstâncias, escolher seu próprio caminho.[2]

Os homens que optavam por repartir o último pedaço de pão deles não eram motivados pelas próprias emoções, mas pelas atitudes. As ações positivas deles afetavam as emoções e atitudes dos companheiros cativos.

Há alguns que se opõem à ideia de assumir uma atitude positiva quando o sentimento é de mágoa, raiva, desapontamento e frustração. Eles dizem que as razões para isso residem na ideia de que pensar positivo quando o que se sente é negativo significa hipocrisia. Todavia, acredito que essa seja uma falsa premissa, e prejudicial ao relacionamento conjugal até onde ela permeou o pensamento ocidental. Em outras áreas da vida, muitas vezes vamos contra nossas emoções. Podemos nos sentir desanimados ou deprimidos diante do convite de um amigo que telefona e nos chama para almoçar, mas optamos por aceitar, colocamos um sorriso no rosto e pensamos positivo. Assim que o almoço acaba, nossos sentimentos de desânimo podem ter desaparecido, ainda que momentaneamente. Nossas atitudes e ações afetam nossas emoções.

Seguindo os passos sugeridos nesta estratégia, você pode *optar* por uma atitude de sucesso. Reconheça que seu modo de pensar negativo está piorando, e não melhorando, as coisas. Identifique as características positivas de seu cônjuge e escolha agradecer a Deus essas características. Agradeça a Deus o fato de seu cônjuge ter sido feito à imagem dele e ser, por isso, extremamente precioso. Agradeça a Deus o fato

[2]Gênesis 2:18.

de seu cônjuge ter recebido dons singulares e ter um papel único a desempenhar no reino de Deus. Agradeça a Deus o casamento ter sido uma ideia dele e peça a ele que lhe dê a habilidade de ser o seu mensageiro, comunicando coisas positivas para o cônjuge. Em seguida, comece a expressar gratidão pelas características positivas que você observa em seu cônjuge.

Você pode escolher uma atitude de sucesso mesmo quando seu cônjuge não mostra interesse em melhorar o casamento. Conheci Stuart em Rome, na Geórgia. Casado havia quinze anos, admitiu terem passado ele e a esposa, Karen, a maior parte daqueles anos na estação do inverno no casamento.

> Durante anos culpei Karen por nosso triste casamento. Ela queria ser o tipo de mãe que fica em casa com os filhos. Concordei com a ideia e trabalhei duro para sustentar a família. Para mim, o problema era que ela não estava fazendo a parte dela. A casa sempre parecia uma bagunça, e eu tinha sorte quando ela cozinhava uma vez por semana. Ela nunca se interessava por sexo e, honestamente, também cheguei a ponto de não me interessar tanto assim. Estávamos criando nossos filhos, mas nosso casamento estava vazio.
>
> Um dia, desesperado, eu estava lendo minha Bíblia. Deparei com Filipenses 4:8: "Tudo o que é verdadeiro, tudo o que é respeitável, tudo o que é justo, tudo o que é puro, tudo o que é amável, tudo o que é de boa fama, se alguma virtude há e se algum louvor existe, seja isso o que ocupe o vosso pensamento". Era como se Deus dissesse para mim: "Você tem tido uma atitude negativa com relação ao seu casamento, e isso não está ajudando. Por que você não começa a se concentrar no que é positivo? Procure as coisas boas em sua esposa e comece a lhe fazer elogios".
>
> Pedi a Deus que me ajudasse a fazer uma lista das coisas positivas com relação a Karen. Fiquei surpreso com o tamanho

da lista. Então pedi a ele que me desse a capacidade de elogiá--la uma vez por dia, e não lhe dirigir comentários negativos. O que aconteceu no mês seguinte foi inacreditável. Quando parei de criticá-la e comecei a expressar apreço pelas coisas positivas que observava nela, o comportamento de minha esposa começou a mudar. Ela começou a sorrir novamente e a me paquerar como fazia durante nosso namoro. Nunca me esquecerei de nossa primeira relação sexual. Fiquei acabado.

Alguns meses depois, houve um seminário para casais em nossa igreja e perguntei a ela se gostaria de participar. Ela concordou, e aquele foi outro grande avanço. Passamos definitivamente do inverno para a estação da primavera no casamento. Era um relacionamento totalmente novo. Começamos a conversar sobre nosso casamento e resolver as coisas que haviam sido dolorosas para nós dois no passado. Fizemos um grande progresso, e estou animado com o nosso futuro juntos. Gostaria que todos pudessem ter o tipo de casamento que temos.

A jornada de Stuart e Karen do inverno para a primavera começou com a opção de Stuart por tomar uma atitude de sucesso e com o compromisso dele em aprender a concentrar-se nas coisas positivas relacionadas a Karen. Muitas vezes, as estações conjugais começam a mudar quando uma pessoa escolhe uma atitude de sucesso, a despeito dos sentimentos negativos.

Estratégia nº 3: Aprenda a falar a linguagem de amor de seu cônjuge

Ruth apareceu em meu consultório sem hora marcada. Por acaso eu estava livre e concordei em vê-la. Ela não perdeu tempo e foi direto ao ponto. Ela disse: "Tenho hora marcada com um advogado às catorze horas. Vou me divorciar de meu marido. Vinte anos de sofrimento já são mais que suficientes. Não sei por que passei pelo seu consultório. Não acho que haja alguma coisa que você possa fazer, mas pensei que deveria, pelo menos, conversar com um conselheiro antes de ver o advogado".

Ouvi Ruth despejar sua história de dor durante uma hora. Basicamente, tratava-se de uma história de negligência. O marido era um mecânico de carros cuja oficina ficava nos fundos de casa. Ele era um homem trabalhador, mas, pelo visto, pouco sabia a respeito de como se relacionar com a esposa. Pela perspectiva de Ruth, o marido esperava que ela cozinhasse para ele, lavasse e passasse as roupas dele e tivesse relações sexuais quando ele bem entendesse. "Fora isso, ele não tem tempo para mim. E se acaso me atraso com uma de suas refeições, ele me xinga. Ele passa noites trabalhando na oficina, menos às quartas-feiras porque sai com os amigos para beber. Normalmente, ele não chega bêbado, e quando isso acontece, não é agressivo. Na maioria das vezes, ele dorme no sofá nessas noites. Sinto que eu não posso continuar neste relacionamento", ela disse.

Eu me compadeci de Ruth, mas aproveitei a oportunidade para explicar-lhe o poder do amor incondicional. Compartilhei com ela o conceito das cinco linguagens do amor, além de falar sobre o tanque de amor. Quando sugeri que, provavelmente, o tanque de amor do marido ficara vazio durante toda a vida, menos nos breves momentos em que ele e Ruth "se apaixonaram", ela respondeu: "É interessante você dizer isso. Quando estávamos namorando, ele era carinhoso comigo. Eu realmente pensei que estava me casando com um homem bom, mas depois do casamento tudo mudou". Dei a entender que, ao sair do êxtase emocional do relacionamento na época em que namoravam, o marido voltou ao estado emocional normal dele, ou seja, de um tanque de amor vazio.

Desafiei Ruth a fazer uma experiência de seis meses. Pedi que falasse a principal linguagem de amor do marido uma vez por semana para ver o que aconteceria. Ela não se entusiasmou muito com a ideia, mas aceitou o desafio. Ligou para o advogado e suspendeu por ora o plano de divórcio. O que se deu nos três meses seguintes foi, nas palavras dela: "Inacreditável. Se alguém me dissesse que meu marido começaria a falar minha linguagem de amor e eu voltaria a sentir amor por ele novamente, eu teria dito que era impossível. O fato é que por ele sinto amor, e ele está falando minha linguagem de amor. Gostaria de ter conhecido o poder do amor vinte anos atrás. Não posso acreditar que esperei tanto tempo para buscar ajuda".

Nem todos os cônjuges responderão às expressões de amor com tanta rapidez como aconteceu com o marido de Ruth, entretanto a maioria dos maridos e esposas precisa desesperadamente do amor emocional. Quando eles o recebem incondicionalmente, começam a experimentar sentimentos positivos com relação ao cônjuge. Por fim, muitos correspondem a essas expressões de amor, tirando o casamento do outono ou inverno e levando-o para as estações da primavera e do verão. A decisão de amar, a despeito de sua mágoa, pode ser a decisão mais importante que você já tomou.

Estratégia nº 4: Desenvolva o impressionante poder de ouvir cim empatia

Conheci Marc quando eu estava ministrando, em uma igreja local, uma série de aulas sobre como enriquecer o casamento. Uma das apresentações concentrou-se na atitude de ouvir com empatia. Marc ficou ali após a aula e me falou da frustração que estava experimentando em seu casamento:

> Minha esposa, Carol, critica exageradamente tudo o que faço. Não sinto apoio da parte dela. Procuro me esforçar bastante, mas é muito desestimulante quando ela subestima tudo o que faço. Ela critica o modo de me relacionar com as crianças. Critica também meu relacionamento com minha mãe. Na verdade, vejo muito pouco minha mãe agora porque não quero ouvir Carol falar sobre ela de forma rancorosa. Ela diz que não a escuto, e talvez eu não a escute. Mas como posso escutá-la quando tudo o que ouço se resume a críticas?

Concordei em reservar um tempo para Marc individualmente para verificar a possibilidade de chegar a uma estratégia que pudesse estimular o crescimento em seu casamento. Ele me assegurou que a esposa não faria aconselhamento. Afinal, ele lhe fizera essa sugestão antes, mas ela não se mostrou aberta para isso. Nas seguintes, compartilhei com Marc a constatação de que a maioria das pessoas hipercríticas expressa mágoa, raiva e um tanque de amor vazio. Tentei ajudá-lo a entender que a estrada para a cura, muitas vezes, começa com um cônjuge que ouve com empatia. Garanti a ele estar ciente de que não seria fácil, mas se ele quisesse ter uma influência positiva sobre sua esposa, provavelmente, ouvir com empatia seria o melhor ponto de partida. Expliquei-lhe que o objetivo era ver o mundo pelos olhos da esposa e, assim, entender o que ela estava passando. Conversamos sobre como ouvir a esposa dele sem julgá-la e como aceitá-la, mesmo quando ele não concordava com as ideias dela. Levou um tempo, mas percebi que Marc começava a entender a ideia do poder de ouvir com empatia. Nós nos prendemos a algumas das habilidades discutidas na Estratégia nº 4 que envolvem a questão do ouvir, e Marc iniciou o difícil trabalho de verdadeiramente ouvir a esposa.

O que aconteceu nos meses seguintes foi mais do que qualquer um de nós esperava. Quando Marc reafirmou o compromisso dele com o casamento, tendo como principal estratégia a atitude de ouvir com empatia, a atitude crítica da esposa começou a abrandar. Ele levou, provavelmente, dois meses para perceber alguma diferença, e só então foi que ela ficou mais calma em suas expressões de desagrado. "Mas acho que ela percebeu que eu a estava ouvindo", Marc disse, "por isso, ela não precisou gritar comigo. Acho que a coisa mais importante que aconteceu foi que comecei a entendê-la melhor. Eu não fazia ideia de que ela guardava tanta mágoa no íntimo. Percebi que eu não era o motivo de toda a dor dela, mas que havia contribuído para aumentá-la por não entender o que estava se passando lá em seu íntimo."

Em um prazo de seis meses, Carol se dispôs a começar a fazer um aconselhamento individual para lidar com algumas das mágoas do passado. Mais tarde, ela e Marc passaram seis meses juntos fazendo aconselhamento conjugal. Hoje, eles têm um casamento saudável; na verdade, ambos ministram aulas em sua igreja sobre como enriquecer o casamento. Nunca subestime o poder de ouvir com empatia.

Estratégia nº 5: Descubra a alefria de ajudar seu cônjuge a ter sucesso

Barbara estava em meu consultório se queixando do marido, Richard:

— Ele quer ser corretor de imóveis. Nos últimos seis meses, ele passou cada minuto livre estudando para o exame. Não acho que ele tenha personalidade para ser vendedor. Ele diz que não lhe dou apoio, mas só o que estou fazendo é ajudá-lo a ser realista.

— Ele já vendeu imóveis antes? — perguntei.

— Não — ela disse. — Porém, já tentou vender carros, e isso não deu muito certo. Ele acha que encontrou seu nicho, mas já faz seis semanas que está trabalhando em uma imobiliária e não vendeu nenhuma casa. Não podemos pagar as contas apenas com meu salário, e sabe lá Deus quando ele receberá um cheque!

Eu podia notar o quão extremamente frustrada ela estava. Todas as conversas de Barbara com Richard pareceram inúteis para apagar o desejo do marido de vender imóveis. Foram necessárias três ou quatro sessões de aconselhamento para que Barbara pudesse aceitar a ideia de que, como Richard investira tanto tempo para se preparar para o exame e persistira, apesar de todas as tentativas dela para convencê-lo do contrário, talvez ele pudesse ter sucesso no ramo imobiliário.

Com o tempo, Barbara entendeu que o sucesso ou fracasso do marido podia depender do apoio emocional dela. "Até que ponto vocês ficariam endividados se Richard ficasse um ano sem ajudar com o salário em casa?", perguntei. Na semana seguinte, Barbara voltou com uma cifra. Sugeri que ela e Richard tomassem emprestada aquela quantia e a usassem quando necessário, enquanto, juntos, tentassem fazer dele um corretor de imóveis bem-sucedido. "Se ele tiver sucesso", considerei, "o empréstimo poderá ser facilmente liquidado. Do contrário, não é uma quantia exorbitante que vocês dois não possam pagar enquanto ele trabalha em outro emprego. Pelo menos, vocês saberão se Richard tem jeito para a venda de imóveis".

Com essa segurança emocional, Barbara aceitou a ideia de ajudar Richard a se tornar um sucesso. Essa esposa estava indo contra os medos dela, mas sabia que o marido merecia contar com seu apoio em um projeto para o qual dedicara tanto tempo e energia. Eu a alertei contra a tentativa de conduzir a vida profissional do marido, dizendo-lhe como ter sucesso. Em vez disso, o papel dela era dar apoio, expressando interesse pelas experiências diárias do marido e se alegrando com qualquer vitória pequena que surgisse. Se ele ficasse desapontado com a perda de uma venda, a resposta de Barbara seria: "Tenho certeza de que ficaria desapontada se estivesse em seu lugar também. Mas isso faz parte do trabalho. Vamos procurar a próxima venda e acreditar no melhor. Você quer obter sucesso nisso, e sei que pode alcançá-lo".

No fim do ano, o empréstimo havia sido pago e Richard e Barbara tinham uma pequena poupança. O segundo ano foi ainda melhor. Ao longo dos últimos dez anos, com certeza houve altos e baixos, mas Richard tornou-se um dos melhores vendedores da empresa. Ele e Barbara podem rir agora daquela experiência de um ano. Mas Richard sabe que, sem o apoio da esposa, ele provavelmente não teria conseguido vencer. Barbara sente uma grande alegria em saber que ajudou o marido a obter sucesso em algo que ele realmente queria fazer.

Como consequência de seu ramo de atividade, Richard aprendeu alguns princípios em vários seminários sobre vendas que também melhoraram seu casamento. Ele aprendeu a se comunicar com Barbara de um modo positivo e a incentivá-la com palavras de afirmação. Juntos, eles vêm sentindo o perfume das rosas do verão há vários anos.

É claro que Richard poderia ter sido um fracasso no ramo imobiliário. Nesse caso, porém, com o apoio de Barbara, provavelmente, ele teria reconhecido isso logo e desistido da ideia com dignidade, e não com frustração. Ajudar seu cônjuge a obter sucesso pode envolver a atitude de passar juntos por alguns fracassos, mas, pelo menos, vocês estarão caminhando *juntos.* Lembre-se de que manter o casamento nas estações da primavera ou do verão não significa, obrigatoriamente, que não haverá nenhuma hera venenosa nem vespas ao longo do caminho, mas um casamento unido estará mais bem preparado para resistir à adversidade e permanecer forte.

Que desejos seu cônjuge tem expressado? Em que sentido você pode apoiar tais desejos? Ajudar o cônjuge a obter sucesso é uma estratégia positiva para melhorar seu casamento.

Estratégia nº 6: Aproveite ao máximo suas diferenças

Brad gostava de levantar cedo. Antes de se casar, ele sonhava tomar café com a esposa, discutir as expectativas do dia e orar com ela antes de ir para o trabalho. Depois do casamento, descobriu que Jenny "não gostava de madrugar". Enquanto ele pulava cedo da cama, a esposa relaxava de manhã feito um urso despertando do período de hibernação. Durante os primeiros anos de casamento, Brad ficou ressentido com Jenny. Em geral, ele guardava para si sua frustração, mas de vez em quando a acusava de ser preguiçosa. Dizia que ela deveria ir mais cedo para a cama, ou que tudo o que ela precisava era de uma boa xícara de café.

Havia outras diferenças que também frustravam Brad. Ele gostava de andar longas distâncias, mas esse não era o caso de Jenny. Quando os dois namoravam, ela o acompanhou em algumas trilhas, mas não conseguia imaginar o que levava alguém a atravessar a mata e correr o risco de pegar carrapatos ou ser picado por uma cobra. Ela fora criada na cidade e, na opinião dela, a mata era para animais, e não seres humanos. Jenny gostava de ir a sinfonias e recitais. Brad preferia espetáculos de *rock.*

Passados alguns anos, Brad se convenceu de que havia cometido um grave erro ao se casar com Jenny. "As diferenças eram gritantes. Eu não via como resolvermos isso juntos", ele disse. "Então, um dia, li um livro sobre casamento. Acho que eu estava muito desesperado e pensei que talvez encontrasse algo que me ajudasse. Em um capítulo intitulado 'Diferenças: As Razões para a Compatibilidade', o autor falava do fato de que todos os casais têm diferenças. Alguns aprendem a trabalhar juntos como uma equipe, e outros simplesmente passam a vida inteira discutindo."

Ele sabia que Jenny não leria o livro, mas também sabia que tinha uma estratégia para melhorar o casamento deles.

> Por isso fiz uma lista de todas as coisas que me irritavam em Jenny e comecei a perguntar para mim mesmo: "Quais são os aspectos positivos de nossas diferenças?". Foi surpreendente o que comecei a ver. Percebi que a disposição de Jenny para dormir oferecia-me um maravilhoso cenário para meu tempo pessoal com Deus. Poderia dispor de um tempo sem interrupções com Deus antes de começar meu dia. Percebi a bênção que isso significava. Por isso agradeci a Deus o fato de fazer-nos diferentes. Quando Jenny tentava caminhar comigo, eu sempre ficava no pé dela, pois nunca conseguia acompanhar o ritmo. Isso me irritava e fazia com que a caminhada ficasse um pouco menos divertida para ela. Para mim, caminhar era um modo de desprender-me das pressões da vida — relaxar diante da beleza da natureza e perceber que a vida não era uma competição insana. Eu gostava muito mais de caminhar sozinho do que da frustração de caminhar com Jenny. Então, agradeci a Deus a bênção de me dar uma esposa que me incentivava a caminhar sozinho. Descobri que em todas as nossas diferenças havia um lado positivo que antes não conseguia ver.
>
> Depois que comecei a agradecer a Deus as diferenças, eu me vi apreciando mais Jenny e, por fim, arrumava tempo

para dizer-lhe quanto eu a apreciava. Minhas antigas palavras de condenação tornaram-se palavras de admiração. Com o tempo — isso não aconteceu da noite para o dia — mudou a atitude de Jenny para comigo. Quando a deixei ser a pessoa que Deus a havia feito para ser e reconheci as coisas positivas sobre a personalidade dela, Jenny começou a me afirmar, e o calor emocional voltou para nosso casamento. Detesto pensar no que teria acontecido conosco se eu não tivesse descoberto a verdade de que as diferenças são as razões de um casamento compatível.

É possível que seu cônjuge não esteja disposto a ler este livro com você, tampouco se disponha a se empenhar com você em uma estratégia para maximizar as diferenças de ambos. Mas você pode começar o processo reconhecendo as características positivas de seu cônjuge, agradecendo a Deus essas diferenças e expressando sua apreciação. Ao tomar a iniciativa e ao procurar maximizar suas diferenças, você está implementando o poder da influência positiva. Esse poder pode arrancar seu casamento de um inverno sem vida e levá-lo para uma estação mais agradável.

Como me disse uma mulher certa vez: "Depois de tudo o que aconteceu em nosso casamento, se alguém me dissesse que eu voltaria a amar meu marido novamente, eu teria dito: 'Sem chance!'. Mas foi o que aconteceu. Ele me pediu perdão e está tentando de verdade empenhar-se em nosso casamento. Nunca pensei que este dia chegaria. Isso faz com que todos os esforços valham a pena. No tempo certo, acho que tornaremos a ver a primavera e o verão". Por meio da perseverança, oração e ação positiva, ela estava colhendo os frutos por implementar o poder da influência positiva.

TERCEIRA PARTE

Colocando seu plano em ação

SEGUINDO EM FRENTE A PARTIR DAQUI E AGORA

Agora que você já teve uma introdução das quatro estações do casamento e das sete estratégias para melhorar as estações de seu casamento, quero desafiá-lo e encorajá-lo a desenvolver um plano para aplicar esses princípios em sua vida conjugal. Escrevi este livro pensando em apresentar-lhe um simples paradigma para entender a qualidade de seu casamento e dar-lhe alguns passos práticos capazes de levá-lo a desenvolver o tipo de casamento que Deus intentou para você.

Deus não criou o casamento para que fôssemos infelizes. Segundo o desígnio de Deus, o marido amará sua esposa como Cristo amou a igreja; ele dará a vida para ministrar e servir a sua esposa. Nesse clima de amor, segundo o desígnio de Deus, a esposa estará livre para corresponder ao amor do marido e encontrar formas para investir sua vida a seu serviço. Quando o marido e a esposa vivem de acordo com o desígnio de Deus para com eles, ambos se submetem mutuamente um ao outro e buscam o melhor um para o outro. Nessa parceria livre e amorosa, eles podem cumprir o propósito que Deus determina para a vida deles juntos.

Deus intentou esse tipo de casamento para você. A razão de eu me sentir tão entusiasmado com a mensagem deste livro está no fato de que tenho visto as estratégias apresentadas aqui levarem, literalmente, milhares de casamentos da frieza do inverno para o entusiasmo da primavera. *Sei* que elas funcionarão com você. Mas, primeiro, você precisa pôr seu plano em ação. O conhecimento abstrato não tem muito valor, mas o conhecimento *aplicado* é sabedoria.

Serei o primeiro a admitir que meu casamento com Karolyn ainda está em processo — sim, mesmo depois de 42 anos. A realidade é que *todo* casamento ainda está em processo; ninguém tem o casamento perfeito. A boa notícia é que você pode ter um casamento melhor do que o que tem agora. As estratégias que discutimos conduzirão seu casamento na direção certa.

A estratégia nº 1 desafia você a *lidar com as falhas do passado.* A falha em si não destruirá um casamento, mas não é isso o que acontece com a falha *não confessada* e *não perdoada.*

A estratégia nº 2 faz você se lembrar de que a *atitude* muitas vezes representa a diferença entre inverno, primavera, verão e outono. Uma atitude negativa e crítica o empurra para a frieza do inverno; enquanto isso, uma atitude positiva, que busca o melhor em seu cônjuge e o afirma, leva ao calor da primavera e do verão.

A estratégia nº 3 encoraja você a *descobrir e falar a principal linguagem de amor de seu cônjuge.* Todos têm uma profunda necessidade emocional de se sentir amados. Ao suprir essa necessidade em seu cônjuge, você cria um clima no qual os açafrões começam a florescer no casamento.

A estratégia nº 4 lhe dá as ferramentas para *desenvolver a arte de ouvir com empatia.* Quando seu cônjuge estiver falando, a coisa mais importante que você poderá fazer é ouvir. Somente quando ouvir com empatia é que você chegará a entender os pensamentos, sentimentos e desejos do cônjuge. O entendimento leva a um florescimento da intimidade.

A estratégia nº 5 auxilia você a *descobrir a alegria de ajudar seu cônjuge a ter sucesso.* Poucas realizações na vida são mais gratificantes ou têm maiores resultados do que ajudar seu cônjuge a cumprir os propósitos para os quais Deus o intentou. Implemente esta estratégia e compartilhe as recompensas do verdadeiro sucesso.

A estratégia nº 6 ensina você a *maximizar suas diferenças.* Deus fez marido e esposa diferentes para um propósito — um propósito *positivo.* A partir do momento em que você aprender a transformar suas diferenças em vantagens, você e seu cônjuge serão vencedores.

A estratégia nº 7 mostra-lhe como *implementar o poder da influência positiva.* É possível que seu cônjuge não esteja disposto a ler este livro ou discutir estratégias para melhorar o casamento, contudo isso não significa que seus esforços serão em vão. Embora não possa controlar o comportamento de seu cônjuge, você pode optar por exercer uma influência positiva. Talvez a forma mais eficaz para influenciar o cônjuge seja a aplicação dos conceitos que você aprendeu nas estratégias de número 1 a 6.

Dê o primeiro passo. Peça ao seu cônjuge que leia a Primeira Parte, na qual são descritas as quatro estações do casamento. Depois, faça o teste na seção das estações conjugais, que o ajudará a identificar a estação de seu casamento. Discuta os resultados com o cônjuge e expresse seu desejo de crescer e melhorar. Espero que você e seu cônjuge leiam juntos este livro, discutam as sete estratégias e procurem implementá-las. Se ambos fizerem isso, estou convencido de que descobrirão que as estações de seu casamento serão extremamente enriquecidas e aprimoradas.

PERGUNTAS E RESPOSTAS SOBRE AS QUATRO ESTAÇÕES

Pergunta

Eu realmente quero um casamento melhor, mas não tenho muita esperança. Li a Estratégia nº 7 sobre o poder da influência, mas nada do que eu faço parece fazer diferença. Quando tentei agir assim no passado, meu cônjuge não se dispôs a fazer nenhuma mudança. Não sei se vale a pena tentar de novo.

Resposta

Eu me solidarizo demais com sua falta de esperança. Quando seus melhores esforços deparam com a resistência ou apatia, é fácil desanimar. No entanto, o fato de você ter visto pouca ou nenhuma mudança no passado não significa que seu cônjuge seja incapaz de fazer mudanças no futuro. Suas atitudes e comportamento constantemente influenciam o cônjuge — para melhor ou para pior. Embora possa parecer que você esteja tendo pouca influência sobre o comportamento de seu cônjuge, essa influência é, na verdade, muito profunda. As estratégias que compartilhei neste livro, quando constantemente aplicadas, ajudaram milhares de casais a estimular com eficácia o crescimento conjugal. Não deixe o fracasso visível dos esforços do passado impedir você de experimentar essas estratégias no casamento.

Algumas pessoas têm mais sucesso na conclusão de projetos quando estão trabalhando com um grupo ou, pelo menos, com outra pessoa. Por exemplo, muitas pessoas que não tiveram sucesso quando tentaram perder peso sozinhas, finalmente, alcançam êxito se inscrevem em um programa para redução de peso que inclui encontro regular com outras pessoas. Se essa for a sua experiência, então talvez você possa compartilhar este livro com um amigo que esteja na mesma estação conjugal que a sua. Vocês dois podem se encontrar regularmente para discutir as sete estratégias e seus esforços para implementá-las. O primeiro passo — a decisão de tentar novamente — com frequência é o mais difícil. Mas tentar é o que sustenta o potencial para uma mudança positiva. O lavrador que nunca planta a semente não terá uma colheita.

Pergunta

O que acontece se emprego uma ação estratégica que para mim é positiva, mas leva meu cônjuge na direção errada ou é vista como manipuladora?

Resposta

Talvez a melhor abordagem seja a prevenção. Antes de começar uma nova estratégia, pergunte ao cônjuge se tal conduta de sua parte melhorará a vida dele. Por exemplo, digamos que você queira começar a Estratégia nº 1: Resolver as Falhas do Passado. Você pode dizer ao cônjuge: “Eu estava pensando em minha vida e sei que não sou um cônjuge perfeito. Percebo que desapontei você em alguns aspectos muito significativos. Gostaria de identificar essas falhas e deixá-las para trás. Realmente quero ser o cônjuge que você merece. Você se disporia a me ajudar a identificar minhas falhas e talvez dar algumas sugestões sobre o que eu poderia fazer para deixar a vida mais fácil para você?".

Seu cônjuge pode responder de modo impertinente, dizendo coisas do tipo: "Parece que você foi à igreja de novo", ou "Pensei que você nunca fosse perguntar!". Todavia, ele pode responder com sinceridade, dizendo: "Estou disposto a fazer qualquer coisa para melhorar nosso casamento". A resposta do cônjuge não é a questão mais importante. O que importa é você comunicar-lhe com sinceridade que está pensando seriamente no casamento, que optou por lidar com as falhas do passado e está tentando dar passos para crescer. Informar ao cônjuge o que você está fazendo pode tranquilizar os temores dele, além de estimular uma resposta positiva quando você começar a implementar o plano.

Entretanto, se você tentar dar um passo positivo no casamento e seu cônjuge responder da seguinte forma: "Não gosto disso. Acho uma ofensa. Sinto como se você estivesse tentando me manipular", então é hora de praticar as habilidades do ouvir com empatia. Você pode perguntar: "Em que sentido você vê isso como uma manipulação?". Ouça com atenção e faça outras perguntas esclarecedoras. Você pode dizer: "Você está dizendo que, quando faço ______________, você se sente como se eu estivesse tentando forçá-lo a fazer algo que não está a fim de fazer?". Muitas vezes, o diálogo honesto pode ajudá-lo a vencer a resistência inicial de seu cônjuge, levá-lo a implementar mudanças positivas e fazer com que seja mais fácil para o cônjuge responder de forma positiva. É perfeitamente possível que aquilo que uma pessoa considere uma ação de amor possa ser interpretado pela outra como uma tentativa de manipulação. É por isso que a Estratégia nº 3 é tão importante. Aprender a falar a linguagem de amor de seu cônjuge é uma das chaves para levar um casamento para a primavera e verão.

Pergunta

Se a confiança está comprometida ou foi destruída, como meu cônjuge e eu começamos a trilhar a estrada que leva à reconciliação?

Resposta

A maioria dos casais entra no casamento com um alto grau de confiança entre os cônjuges. Sem confiança, eles provavelmente não tomariam a decisão de casar. A confiança floresce até que um dos cônjuges (ou ambos) quebra a confiança — quer por meio de mentiras quer por qualquer outro ato de infidelidade. Uma vez lesada ou destruída, a confiança não é automaticamente restaurada quando a parte ofensiva admite: "Errei. Sinto muito. Você me perdoa?". Mesmo que haja uma verdadeira confissão, arrependimento e perdão, a confiança não é instantaneamente restaurada.

Muitas vezes descrevo a confiança como uma planta frágil. Quebrar a confiança é como pisar na planta e forçá-la a penetrar na lama. Embora tenha a capacidade de reerguer-se e crescer saudável novamente, ela levará tempo. Quando a confiança é quebrada pela segunda vez, é como quebrar a planta rente à terra. O sistema de raízes ainda está lá, mas o caule da planta já se foi. As raízes levarão mais tempo para produzir confiança novamente. O único caminho que leva à reconciliação se faz presente quando a parte ofensiva passa a ser confiável novamente. Se foi você quem quebrou a confiança, então deve constantemente fazer o que diz que vai fazer e ir aonde diz que vai. Em resumo, você deve levar uma vida perfeita. Quando isso acontece, a confiança aos poucos volta a se tornar saudável.

Se quiser que seu cônjuge confie novamente em você, leve a vida honestamente. Deixe que sua vida seja um livro aberto. Peça ao cônjuge que passe a "vigiá-lo". Aceite as perguntas dele. Viva de tal modo que não tenha o que esconder. Quando isso acontecer, você descobrirá que, com o tempo, seu cônjuge voltará a confiar em você de verdade.

Pergunta

Há um provérbio que diz: "Não troque o certo pelo incerto". Como os casais podem superar o medo que sentem das consequências negativas, que podem paralisá-los e impedi-los de buscar mudanças positivas?

Resposta

Encaremos os fatos. A mudança pode ser assustadora. Ela pode arrancar-nos de nossa zona de segurança. No entanto, a mudança é inevitável. Não podemos evitá-la. A mudança também pode envolver certo risco, mas o risco igualmente faz parte da vida. Nós nos expomos a determinados riscos quando entramos em um carro e pegamos uma rodovia. A maioria de nós se dispõe a correr o risco porque a alternativa que nos resta não tem o potencial que desejamos.

O mesmo acontece quando procuramos iniciar uma mudança em um relacionamento conjugal. Há sempre o risco de que o processo possa provocar discussões. Podemos verbalizar pensamentos e sentimentos que estavam adormecidos havia meses, ou talvez anos. Podemos ouvir coisas que nos causam dor. Todavia, se não dermos início à mudança, impediremos nosso potencial de agir de modo positivo. Portanto, a maioria dos casais está disposta a correr o risco de procurar estimular o crescimento, pois eles sabem que a alternativa restante os deixa presos a algo inferior ao que desejam.

Um dos objetivos deste livro é ensinar-lhe estratégias para procurar o crescimento conjugal que o ajudará a iniciar uma mudança positiva. Seguir essas estratégias não significa que você não experimentará nenhuma resistência as suas tentativas. Significa que você está procurando mudanças da maneira mais positiva. Os riscos são mínimos quando comparados ao potencial positivo de levar o casamento para uma estação mais favorável.

Pergunta

O que acontece no caso de as mágoas do passado serem tão grandes (quer dentro do casamento, quer dentro da família de origem de um dos cônjuges) a ponto de um cônjuge não ser capaz de discuti-las, ainda que motivado por um desejo de melhorar o casamento? Como um casal pode começar a discutir "o pior caso" de casamento que está "abaixo de zero" na escala sazonal?

Resposta

É verdade que algumas pessoas estão presas a correntes emocionais do passado. Elas querem que as coisas sejam diferentes, mas não têm a energia emocional para dar passos construtivos. Leem um livro como *As quatro estações do casamento* e imaginam que as coisas poderiam ser melhores, mas estão paralisadas. A mente delas está confusa, as emoções estão distorcidas e desistir parece mais fácil do que tentar.

Essas pessoas quase sempre precisarão de um conselheiro profissional, um pastor ou um amigo maduro para ajudá-las a desembaraçar os fios emaranhados do passado e encontrar uma saída para sua desesperança. Não raro, será um amigo de confiança que encorajará essa pessoa a buscar aconselhamento profissional ou outra ajuda que seja necessária. Neste caso, o amigo é a tábua de salvação entre o indivíduo problemático e a fonte de esperança.

Pergunta

É possível para um casal viver em duas estações ao mesmo tempo, ou é a pior estação das duas que define o casamento?

Resposta

Como observamos em um capítulo anterior, pode ser difícil distinguir os últimos estágios do outono e os primeiros estágios do inverno. Da mesma forma, os últimos estágios da primavera e os primeiros estágios do verão tendem a se misturar. Creio que a maioria dos casamentos se enquadra em uma das quatro estações do casamento de um modo muito distinto. No entanto, não há nada de errado em descrever seu casamento como um casamento no outono/inverno ou na primavera/verão. Isso significa que você tem algumas das características das duas estações. O objetivo deste livro é desafiar os casais a sempre moverem-se para uma estação mais favorável do casamento ou continuarem a viver nessa estação. Não eliminaremos nenhuma das quatro estações de nossa experiência conjugal. No entanto, o ideal seria pequenos outonos e invernos e longas primaveras e verões. Creio que as estratégias dadas na segunda parte deste livro ajudarão os casais a atingir esse ideal.

Pergunta

É necessário que ambos os cônjuges estejam na mesma estação para que o casamento seja considerado saudável e bom?

Resposta

Em minha opinião, marido e esposa estão sempre na mesma estação do casamento, quer percebam isso, quer não. É verdade que, em minha pesquisa, descobri casais com diferentes percepções sobre a estação de seu casamento. Lembro-me de um marido que afirmou: "Temos um casamento no verão; eu não poderia estar mais feliz". Mas a esposa disse: "Definitivamente estamos na estação do inverno no casamento. Eu me sinto tão distante de meu marido". Quer ele soubesse, quer não, o casamento desse homem estava na estação do inverno. Suas necessidades e expectativas, ao que parece, estavam sendo supridas, mas as necessidades e expectativas da esposa eram uma história completamente diferente. Se um dos cônjuges acredita que o casamento está na primavera e o outro o vê no verão, as diferenças de ambos não têm muita consequência; contudo, quando um casal está tão distante um do outro como o casal que descrevi anteriormente, o casamento está seguramente passando pelo inverno.

Uma vez que marido e esposa têm expectativas diferentes a respeito do que deveria ser um casamento, os dois também podem ter percepções diferentes sobre o sucesso do casamento. Logo, é comum que marido e esposa cheguem a conclusões distintas acerca da estação de seu casamento. É provável que a realidade do relacionamento conjugal esteja em algum ponto entre suas diferentes perspectivas, mas o importante é que eles se comuniquem. Ao usarem as informações contidas em *As quatro estações do casamento*, eles poderão estabelecer um diálogo significativo que os levará a se entender mais a fundo e melhorar a estação de seu casamento. (A seção das estações conjugais no fim da Primeira Parte pode ser extremamente útil nesse processo de comunicação.)

Pergunta

À medida que passam de uma estação para outra, os casais nem sempre estão na mesma posição nem caminham no mesmo ritmo. Eles nem sempre estarão de acordo com o que está acontecendo no casamento ou com o que é necessário acontecer. Existe algo mais que precisa ser dito sobre como superar essas diferenças?

Resposta

Esta pergunta concentra-se em uma importante verdade: somos indivíduos e o casamento não apaga nossa individualidade. Interpretamos situações de um modo diferente. Temos respostas emocionais diferentes às mesmas experiências. Reagimos de modo distinto aos eventos da vida. Por exemplo, um cônjuge pode processar a dor ou o desapontamento ao conversar demasiadamente, enquanto o parceiro ou parceira pode retirar-se sentindo a dor em silêncio. Ou um cônjuge pode superar a adversidade por meio de atividades, enquanto o outro tem vontade de contemplar o pôr do sol e refletir. O objetivo do casamento não é nos transformar em clones um do outro; pelo contrário, serve para que aprendamos a ajudar nosso cônjuge a desenvolver a própria singularidade, de maneira que, juntos, possamos cumprir os propósitos para os quais fomos destinados. Quando vemos nosso cônjuge como um membro da equipe, em vez de um competidor, temos muito mais chance de cumprir esse objetivo. Em lugar de nos separarmos por causa de nossas diferenças, nós nos alegramos com elas — ou o que chamo de maximizar nossas diferenças.

Pergunta

Se eu experimentar uma das estratégias apresentadas neste As quatro estações do casamento e ela não funcionar, devo parar e pôr em prática outra?

Resposta

A meu ver, as estratégias que compartilhei neste livro não devem ser seguidas em sequência. Elas tampouco representam projetos independentes que precisam ser concluídos um por vez. Em lugar disso, trata-se de atitudes de um modo de vida e padrões de comportamento que devemos procurar incorporar à estrutura de nossa vida. Por exemplo, escolher uma atitude de sucesso é algo que esperamos desenvolver para toda a vida, não apenas como uma rápida solução para suportar uma fraca estação em nosso casamento. Falar a linguagem de amor de nosso cônjuge é um modo de vida interminável, porém muito gratificante.

Ouvir com empatia é algo que lhe servirá bem em casa, na vizinhança e no escritório. Ajudar seu cônjuge a ter sucesso é um projeto para toda a vida — e traz grandes vantagens! E aprender a maximizar suas diferenças fará de você e do cônjuge a equipe de sucesso que ambos desejam ser.

Lidar com as falhas do passado pode ser o primeiro grande passo rumo a um casamento revitalizado, mas você e seu cônjuge precisarão lidar o tempo todo com as falhas do dia ou da semana. Admitir que você falhou e pedir perdão se tornará um modo de vida. Da mesma forma, você constantemente terá uma influência positiva ou negativa sobre o cônjuge. Em oração, peço que As quatro estações do casamento o ajude a ter uma influência positiva sobre seu cônjuge.

Em minha opinião, as estratégias sempre funcionam porque mudam nossas atitudes e ações, criando, assim, emoções positivas. Elas podem ou não estimular mudanças complementares no cônjuge. No entanto, quando você e seu cônjuge procurarem viver de acordo com essas sete estratégias, os dois definitivamente passarão mais tempo nas estações da primavera e do verão no casamento.

Pergunta

São muitos os amigos meus que estão nas estações do outono e do inverno no casamento. O que posso fazer para ajudá-los?

Resposta

A preocupação que você expressa é o que tem motivado muitos casais a se envolver com o movimento cujo propósito, ao longo dos últimos anos, é o de enriquecer o casamento. Muitos outros têm dedicado a vida vocacional ao aconselhamento conjugal. Eles lidam com casamentos altamente problemáticos, ajudando o casal a aprender a se entender a si mesmo e um ao outro. Esses conselheiros desempenham um papel importante na preservação de casamentos.

Nem todo casal precisa de aconselhamento profissional, mas todo casal precisa enriquecer seu casamento. Os casamentos crescem ou regridem. Eles seguem rumo à (ou mais a fundo na) primavera e verão ou ao outono e inverno. O fato de nos expor à ajuda disponibilizada pelo movimento dedicado a enriquecer o casamento pode ser fundamental se tratando de florescer açafrões e atenuar tempestades de gelo.

É por isso que, nos últimos anos, tenho dedicado grande parte de minha energia para escrever livros como *As quatro estações do casamento* e ministrar seminários sobre casamento. Creio que muitos casais estão com saúde suficiente no casamento para poderem ler um livro e implementar os conceitos, experimentando assim o crescimento conjugal. Outros aprendem como ouvintes; entendem melhor um conjunto de coisas quando as ouvem explicadas. Portanto, o ambiente das palestras e dos seminários é um formato ideal para essas pessoas. Por muitos anos, tenho incentivado os casais a participar, uma vez por ano, de palestras sobre como enriquecer o casamento, bem como compartilhar um livro sobre casamento uma vez por ano. Se pudermos inspirar uma participação generalizada dessas duas abordagens para o crescimento conjugal, creio que veremos milhares de casamentos salvos a cada ano.

Estou animado por saber que muitas comunidades e organizações eclesiásticas por todo o país estão oferecendo atualmente atividades em pequenos grupos para enriquecimento do casamento. Essa tendência traz grande esperança para o futuro. Descobrir o que está acontecendo na comunidade e envolver-se nesse sentido não apenas ajudará seu casamento, mas também vai permitir-lhe ajudar os outros.

Se os casais que estão vivendo casamentos na primavera ou verão puderem estender a mão para aqueles que estão atravessando o outono ou inverno na vida conjugal e, então, levá-los à oportunidade certa de enriquecerem seu casamento, poderemos fazer uma grande diferença na qualidade dos casamentos no país. Não conheço outra coisa que tenha o potencial de mudar todo o clima cultural mais do que casamentos enriquecidos e em crescimento. Quando você se empenha para melhorar a qualidade de seu casamento, não só influencia os amigos, mas também os filhos, netos e bisnetos nas gerações futuras. A coisa mais importante que você pode fazer por seus amigos é dar-lhes um modelo de um casamento saudável — um casamento que aproveita ao máximo as quatro estações.

Compartilhe suas impressões de leitura escrevendo para:
opiniao-do-leitor@mundocristao.com.br
Acesse nosso *site*: www.mundocristao.com.br

Diagramação: Set-up Time
Preparação: Jefferson Rodrigues
Revisão: Rodolfo Ortiz
Imagem: Gettyimages, Pierre Janssen, Philip Baer, Serguei Kovalev, Skip ODonnell, Lou Oates e Emrah Turudu
Fonte: Agaramond
Gráfica: Assahi
Papel: Pólen Natural 70 g/m² (miolo)
Cartão 250 g/m² (capa)